Les commandos de la télé

C'est grâce à un programme d'aide à la traduction du Conseil des Arts du Canada que les Éditions Pierre Tisseyre ont mis sur pied, en 1980, la collection des Deux solitudes, jeunesse, dans le but de faire connaître aux jeunes lecteurs francophones du Québec et des autres provinces les ouvrages les plus importants de la littérature canadienne-anglaise.

Ce même programme permet aussi aux œuvres marquantes de nos écrivains d'être traduites en anglais.

Déjà plus d'une trentaine d'ouvrages, choisis pour leur qualité, leur intérêt et leur originalité, font honneur à cette collection, qui fut, jusqu'à l'automne 1989, dirigée par Paule Daveluy et, depuis, par Marie-Andrée Clermont.

SONIA CRADDOCK

LES COMMANDOS DE LA TÉLÉ

traduit de l'anglais par
Cécile Gagnon

ÉDITIONS PIERRE TISSEYRE
8925, boulevard Saint-Laurent — Montréal, H2N 1M5

Dépôt légal: 3e trimestre 1991
Bibliothèque nationale du Canada
Bibliothèque nationale du Québec

Données de catalogage avant publication (Canada)

Craddock, Sonia

[The TV War and Me. Français]

La guerre de la télé

(Collection des deux solitudes. Jeunesse).
Traduction de: The TV War and Me.
Pour les jeunes.

ISBN 2-89051-456-0

I. Titre. II. Titre: The TV War and Me. Français. III. Collection.

PS8555.R24T2614 1991 jC813'.54 C91-096722-9
PS9551.R24T2614 1991
PZ23.C72Co 1991

Illustration de la couverture :
François Escalmel

Correction: Marie-Hélène Gauthier

1234567890 IML 987654321
10640

ISBN-2-89051-456-0

COLLECTION DES DEUX SOLITUDES, JEUNESSE
grand format

OUVRAGES PARUS DANS CETTE COLLECTION:

CALLAGHAN, Morley
La promesse de Luke Baldwin
traduction de Michelle Tisseyre

CLARK, Joan
La main de Robin Squires
traduction de Claude Aubry

DOYLE, Brian,
*Je t'attends à Peggy's Cove**
traduction de Claude Aubry
Prix de traduction du Conseil des Arts, 1983
En montant à Low
traduction de Claude et Danielle Aubry

FREEMAN, Bill
Le dernier voyage du Scotian
traduction de Maryse Côté
Premier printemps sur le Grand Banc de Terre-Neuve
traduction de Maryse Côté

GERMAN, Tony
D'une race à part
traduction de Maryse Côté

HUGHES, Monica
Mike, chasseur de ténèbres
traduction de Paule Daveluy
La passion de Blaine
traduction de Marie-Andrée Clermont

LITTLE, Jean
Écoute, l'oiseau chantera
traduction de Paule Daveluy
Maman va t'acheter un moqueur
traduction de Paule Daveluy

LUNN, Janet
Une ombre dans la baie
traduction de Paule Daveluy

MACKAY, Claire
Le Programme Minerve
traduction de Marie-Andrée Clermont

MAJOR, Kevin
Tiens bon!
traduction de Michelle Robinson

MOWAT, Farley
Deux grands ducs dans la famille
traduction de Paule Daveluy
La malédiction du tombeau viking
traduction de Maryse Côté
Une goélette nommée Black Joke
traduction de Michel Caillol

SMUCKER, Barbara
*Les chemins secrets de la liberté **
traduction de Paule Daveluy
Jours de terreur
traduction de Paule Daveluy
Un monde hors du temps
traduction de Paule Daveluy

TRUSS, Jan
*Jasmine**
traduction de Marie-Andrée Clermont

WILSON, Éric
Terreur au bivouac
traduction de Michelle Tisseyre

* Certificat d'honneur de l'Union internationale pour les livres de jeunesse, pour la traduction (IBBY).

COLLECTION DES DEUX SOLITUDES, JEUNESSE
format poche
directrice: Marie-Andrée Clermont

OUVRAGES PARUS DANS CETTE COLLECTION:

1. **Cher Bruce Spingsteen**, de Kevin Major, traduction de Marie-Andrée Clermont
2. **Loin du rivage**, de Kevin Major, traduction de Michelle Tisseyre
3. **La fille à la mini-moto**, de Claire Mackay, traduction de Michelle Tisseyre
4. **Café Paradiso**, de Martha Brooks, traduction de Marie-Andrée Clermont
5. **Moi et Luc**, de Audrey O'Hearn, traduction de Paule Daveluy
6. **Du temps au bout des doigts**, de Kit Pearson, traduction de Hélène Filion
7. **Le fantôme de Val-Robert**, de Beverley Spencer, traduction de Martine Gagnon
8. **Émilie de la Nouvelle Lune 1**, de Lucy Maud Montgomery, traduction de Paule Daveluy*
9. **Émilie de la Nouvelle Lune 2**, de Lucy Maud Montgomery, traduction de Paule Daveluy*
10. **Émilie de la Nouvelle Lune 3**, de Lucy Maud Montgomery, traduction de Paule Daveluy
11. **Émilie de la Nouvelle Lune 4**, de Lucy Maud Montgomery, traduction de Paule Daveluy
12. **Le ciel croule**, de Kit Pearson, traduction de Michelle Robinson
13. **Le bagarreur**, de Diana Wieler, traduction de Marie-Andrée Clermont
14. **Shan Da et la Cité interdite**, de William Bell, traduction de Paule Daveluy
15. **Je t'attends à Peggy's Cove**, de Brian Doyle, traduction de Claude Aubry, Prix de traduction du Conseil des Arts, 1983.

* Certificat d'honneur de l'Union internationale pour les livres de jeunesse, pour la traduction (IBBY).

À Vanessa, James,
Barnaby et Boodle

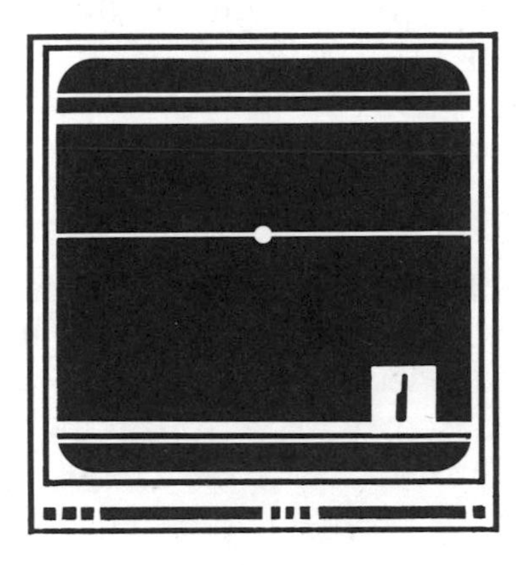

La télé s'en va

Je venais d'entrer dans ma chambre pour aller chercher de quoi me moucher lorsque les cris ont retenti. Il pleuvait en ce vendredi après-midi d'octobre et il était 5 h 30. Je savais qu'il était 5 h 30 parce que les dessins animés venaient de finir et que *La planète de la mort* commençait.

Encore si ce n'avait été que Benjamin, mon petit frère de cinq ans, je ne me serais pas inquiétée, parce qu'il crie et il hurle tout le temps. Mais Pierre, qui a onze ans, gueulait encore plus fort et ça me surprenait beaucoup.

Pressée de voir ce qui se passait, je me suis littéralement jetée dans le salon. J'ai tenté de couvrir le vacarme en lançant:

— Qu'est-ce qu'il y a?

Personne n'a réagi. Maman se tenait debout devant le poste de télé, les bras croisés sur sa poitrine, avec de l'eau ruisselant de son chapeau jusque dans ses bottes de caoutchouc. Pierre pestait contre elle en trépignant et Benjamin se roulait par terre en pédalant dans le vide et en hurlant.

C'est à ce moment que j'ai compris: ma mère avait éteint le téléviseur! J'ai couru vers elle et l'ai prise par le bras en disant:

— Hé! tu ne peux pas faire ça! On vient tout juste de commencer à regarder *La planète de la mort.*

— Tu vas te mouiller, me dit-elle en jetant un coup d'œil sur son imperméable trempé.

— *Maman!* dis-je.

Mais qu'est-ce qu'elle avait donc?

— Tu es sourde ou quoi? On regardait la télé!

Elle me dévisagea et dit calmement:

— Vous ne regarderez plus la télévision.

— Quoi? Qu'est-ce que tu racontes?

— Anne, dit Pierre en donnant un coup de pied sur la table basse, elle ne blague pas, elle est sérieuse.

— Quoi?

Maman entreprit de retirer son manteau. Il avait dégoutté partout sur le tapis.

— Je suis trempée, dit-elle. Je vais me changer et on en reparlera plus tard.

Elle disparut dans l'escalier du sous-sol.

Je commençais à me demander si ma mère était devenue folle. J'avais encore du mal à comprendre de quoi il retournait, mais je n'avais pas l'intention de me laisser avoir. Depuis quelque temps, ma mère avait de bien drôles d'idées. J'ai allumé la télé et j'ai commencé à éponger les taches du tapis avec des «kleenex». C'était invraisemblable! Si on avait eu le malheur de dégouliner ainsi sur le tapis, qu'est-ce qu'on aurait dégusté! Pierre a donné un deuxième coup de pied sur la table en disant:

— C'est inutile, Anne. Elle a débranché le câble. La télé ne peut pas fonctionner.

Je me suis retournée vers le téléviseur, surprise de voir des barres noires traverser l'écran et d'entendre un grésillement qui commençait à s'amplifier. J'ai pensé que ma mère était devenue cinglée. Je me suis penchée pour examiner l'arrière de l'appareil. Comme de fait, le câble qui sort d'un trou dans le plancher gisait par terre.

— Depuis qu'elle fréquente l'université, maman a des idées bizarres, dit Pierre en éteignant furieusement l'appareil à l'aide de son pied.

J'ai fait oui de la tête car Pierre avait raison. Après son divorce, ma mère avait décidé de retourner aux études pour devenir enseignante et depuis, elle s'était mise à changer. Et pas pour le mieux.

— Ç'a commencé par les vêtements, dis-je en m'asseyant sur le canapé-lit. Elle avait l'habitude de porter de jolies robes: elle achetait une nouvelle toilette pour chaque nouvelle occasion. Et maintenant, les robes, c'est fini. Elle ne porte que des pantalons de velours côtelé et des t-shirts. Elle ne se maquille plus et ne se fait jamais coiffer. Avant, elle allait chez le coiffeur chaque semaine.

— Sans compter qu'elle devient de plus en plus sévère, renchérit Pierre en tapant dans le canapé. Toute la journée, à l'école, on est obligés de se plier aux désirs des enseignants et voilà qu'on se retrouve avec un prof à la maison. Ce n'est pas juste! Avant, elle nous laissait faire tout ce qu'on voulait.

Benjamin, qui s'était réfugié derrière le canapé-lit, sortit la tête.

— Elle me fait coucher à 7 heures, cria-t-il; et jamais un seul bonbon!

Son cri se transforma en gémissement.

— Bébé la la! dit Pierre. Tu pleures tout le temps.

— C'est pas vrai! Je pleure pas tout le temps, a crié Benjamin.

Et il décocha un solide coup de poing dans l'estomac de son frère.

— Oh! fit Pierre en le saisissant, petit monstre!

Le visage cramoisi, Benjamin retenait sa respiration et se préparait à hurler. J'intervins aussitôt:

— Ah! laisse-le aller, sinon il va faire venir maman et c'est nous qui allons nous faire gronder.

— Tu peux bien parler, toi, rugit Pierre en relâchant le chandail de Benjamin, qu'il tordait. Ce n'est pas toi qu'il a frappée!

— Tout ce que je sais, dis-je tandis que Benjamin s'éloignait, c'est qu'on manque *La planète de la mort* à cause d'une simple lubie de notre mère. Pourquoi ne veut-elle pas qu'on regarde l'émission?

Pierre haussa les épaules et dit:

— Maman est entrée et elle a tout simplement éteint le téléviseur. Quand je l'ai rallumé, elle a arraché le fil. Peut-être qu'on n'a plus d'argent et qu'elle va vendre l'appareil!

J'ai réfléchi à ces mots en concluant que Pierre avait peut-être raison. Quand papa et maman étaient encore mariés, on avait plein d'argent. On habitait une grande maison et on avait même deux télés. Quand ils ont divorcé, ils ont vendu la maison, la télé couleur et les voitures et on a déménagé ici. Pierre et Benjamin doivent partager la même chambre et maman dort sur le canapé-lit. On aurait voulu louer un appartement, seulement aucun propriétaire n'acceptait de loger trois enfants.

À ce moment, on entendit des bruits de vaisselle dans la cuisine.

— Elle prépare le souper, dit Pierre. Allons lui parler.

Nous sommes entrés tous les trois dans la minuscule cuisine. Dans l'autre maison, la cuisine était grande — assez grande pour nous permettre d'y prendre tous nos repas — mais ici, nous devons manger dans le salon. La table de la salle à manger est placée au fond, appuyée contre le mur. Ça ne me déplaît pas. Ça fait intime et puis j'aime que le foyer soit là parce qu'en hiver, on peut manger en regardant le feu.

À vrai dire, ça ne m'a pas trop dérangée de quitter l'autre maison, car maman s'y sentait tellement malheureuse qu'elle pleurait tout le temps. Je n'ai même pas eu de peine en laissant mes amis. J'avais pensé que j'en rencontrerais d'autres ici et que je ferais partie des équipes sportives de l'école. Mais maman me fait garder Benjamin tous les jours après les heures de classe, alors je ne suis pas arrivée à me faire des amis. Elle dit que notre avenir dépend de sa nouvelle orientation; mais à quoi bon penser à l'avenir quand ma vie à moi est si perturbée et qu'elle ne s'en rend même pas compte?

Tout à coup, je sentis l'odeur de la viande grillée. Du bifteck! Je me suis tournée vers Pierre et nous avons échangé un regard entendu. On n'achète pas du bifteck quand on est sans le sou! Alors pourquoi cette défense de regarder la télé?

— Maman, dis-je, pourquoi est-ce qu'on ne peut pas regarder la télé?

— Le vendredi soir, les émissions sont formidables, ajouta Pierre. Il y a *L'attaque des robots*.

— Et deux des meilleurs jeux télévisés, m'empressai-je d'ajouter. Et un film de cowboy en plus!

— Je voudrais voir les dessins animés, se lamenta Benjamin. Je veux voir les dessins animés. Je veux voir...

— Il n'y en a pas, imbécile, coupa Pierre. C'est le matin qu'on les présente.

— Ah! Eh bien! je veux les voir le matin. Je veux les voir...

Je le fis taire d'un coup de coude et je lançai:

— Maman!

Ça devenait exaspérant. Elle était là, une serviette de bain enroulée autour de ses cheveux mouillés, faisant calmement griller les biftecks comme si de rien n'était. Alors j'insistai:

— Maman! Pourquoi? Pourquoi?

— Parce que, dit-elle lentement, j'ai décidé que c'était mauvais pour vous de regarder la télé.

— Mauvais pour nous? s'écria Pierre.

— Oui, mauvais pour vous! Vous passez tous vos loisirs devant le petit écran.

— Ah! bon! La belle blague! hurlai-je avec fureur. Comment pouvons-nous passer nos moindres loisirs devant l'écran tout en gardant Benjamin, en faisant nos devoirs, la vaisselle et nos propres casse-croûte?

Comment pouvait-elle être si injuste! Maman haussa les épaules et dit:

— J'ai consulté certaines personnes: regarder trop de télé rend les enfants violents.

— Des personnes de l'université, sans doute? jeta Pierre avec mépris.

— Effectivement, des gens de l'université, convint maman.

— C'est bien la preuve qu'ils ne comprennent rien. On n'est pas violents. On n'est pas tout le temps en train de se taper dessus.

— Non, mais vous n'arrêtez pas de vous disputer et de vous chamailler, dit maman.

Elle parlait avec le plus grand sérieux. Elle était vraiment convaincue que la télé nous rendait violents. Et moi qui n'ai même pas le courage de tuer une guêpe!

— Ah! dit Pierre, si nous étions constamment en train de regarder la télé, comme tu le prétends, comment pourrions-nous être violents? On n'en aurait pas le temps, pas vrai? Ah!

— Ne coupe pas les cheveux en quatre, Pierre, répliqua maman en lui souriant. Je n'ai pas l'intention d'en discuter davantage. Nous prenons tous congé de la télévision et voilà tout!

En entendant ces mots, on a respiré un peu mieux; on s'est mis à table et on a mangé notre bifteck dans la bonne humeur. Pierre et moi avions compris que le congé de télévision ne durerait qu'une journée; il nous fallait accepter cette contrariété. La soirée s'est passée dans un ennui mortel. J'ai fait mon devoir de mathématiques (que je déteste) et Pierre a essayé d'assembler le modèle réduit qu'il a reçu pour son anniversaire, sauf qu'à l'étape du collage, le modèle en question s'est cassé et il a éparpillé les morceaux partout sur le plancher. Quant à Benjamin, eh bien! il n'avait rien à faire, alors il m'a agacée jusqu'à ce que je lui flanque une taloche. Il a piqué une telle crise que maman a dû le mettre au lit. Voilà une soirée qu'on pouvait qualifier de pacifique et de non violente sans la télé! J'espérais de tout mon cœur que maman s'en rendait compte. Finalement, j'étais bien contente d'aller me coucher.

Le lendemain, j'ai fait la grasse matinée. D'ordinaire, le samedi, je me lève vers 10 heures pour avaler un bol de céréales et regarder les dessins animés à la télé jusqu'à l'heure du dîner. Je me suis donc levée à 10 heures comme d'habitude, je me suis servi des céréales et je suis entrée dans le salon. Soudain, la mémoire m'est revenue. Me précipitant vers le téléviseur, j'ai regardé derrière: le câble gisait toujours sur le sol, tel un serpent noir sans vie. Elle ne l'avait pas raccordé!

Un grand silence régnait dans la pièce. Mais où était donc tout le monde? Habituellement, quand j'émerge le samedi matin, Benjamin et Pierre se chamaillent à propos du choix des émissions. Je savais que maman était absente. Elle sort tôt ce jour-là pour aller faire ses courses et nous demande toujours de l'accompagner, mais qui a envie de s'embêter à une telle occupation?

Du temps où on habitait l'autre maison, on partait en voiture et on allait dans un énorme supermarché qui vend de tout. Aujourd'hui, on habite à trois pâtés de maisons des commerces; et il n'y a pas de supermarché, seulement des petits magasins. Il faut dire que notre nouveau quartier est bien différent de l'autre. Dans l'ancien, les gens logeaient tous dans de grandes maisons entourées de gazon vert. Il fallait tondre la pelouse comme il faut, sinon les voisins se plaignaient. Et pas question d'avoir des magasins aux alentours! Ici, les gens font même pousser des légumes devant leur porte. La plupart sont de nouveaux immigrants et ils ne parlent même pas très bien notre langue. Dans ma classe, les élèves viennent de partout: de Grèce, d'Italie, d'Allemagne, du Pakistan et des Antilles. Monsieur Richard dit qu'on se croirait aux Nations unies, mais ses blagues ne sont pas très drôles la plupart du temps...

Je flânais dans la maison, à la recherche d'une présence. La chambre de Benjamin et de Pierre était dans un état lamentable: des vêtements, des couvertures et des jouets traînaient partout, mais il n'y avait personne. Personne non plus dans la salle de bains. Je descendis au sous-sol, mais il n'y avait que la vieille fournaise qui hoquetait ses drôles de bruits sourds. Ma recherche s'est arrêtée puisque chez nous, il n'y a pas d'étage.

Par la fenêtre de la cuisine, je vis qu'il pleuvait toujours à verse. Pas un humain en possession de ses facultés n'aurait souhaité être dehors par un temps pareil. En principe, on doit pouvoir apercevoir la mer et les montagnes de la fenêtre de la cuisine. Mais même en me tenant debout sur une chaise et en m'étirant le cou, je ne pouvais pas voir plus loin que le pimbina au fond du jardin et il m'était impossible de distinguer les baies rouges sur ses branches. Tout était gris, gris, gris. Je détournai le regard en frissonnant.

C'est alors que j'aperçus le billet collé sur la porte du frigo. Comment avait-il pu m'échapper?

Partie faire des courses.
Pierre et Benjamin sont avec moi.
Affectueusement,
Maman.

C'était écrit sur le dos d'une enveloppe. Il n'y avait rien d'autre.

Je suis allée me brosser les dents dans la salle de bains. La maison était tellement silencieuse que ça me donnait la chair de poule. On n'entendait que la fournaise cogner, la pluie qui tombait et, au loin, atténués par la distance, les bruits de la circulation.

Je me sentais tout à l'envers. Pourquoi Pierre était-il parti comme ça? Je comprenais que Benjamin m'ait abandonnée, lui qui est prêt à tout pour obtenir des bonbons. Mais maintenant, maman s'approvisionne en friandises à la boutique d'aliments naturels, juste au coin et Benjamin ne raffole pas des barres aux abricots secs et de ce genre de choses. Pauvre lui! Il a très hâte à l'Hallowe'en!

Je me suis brossé les cheveux et je les ai attachés avec une bande élastique. Je déteste ma crinière, mais pas autant que mes dents. Mes *palettes* sortent vers l'avant et je ressemble au lapin Bugs Bunny. L'orthodontiste prétend que je devrais porter des appareils de redressement, mais maman dit que les orthodontistes tentent de faire en sorte que tout le monde ait la même apparence: mêmes dents, même sourire. Elle pense que chacun de nous doit affirmer sa propre personnalité, mais je ne vois pas comment avoir des dents qui sortent me donnerait une personnalité. Tous les jeunes de ma connaissance qui ont des broches les détestent. Mais moi, j'adorerais en porter. Tous les jours, je pousse sur mes dents pour voir si elles bougent un peu, mais il ne se passe rien. C'en est décourageant.

Après m'être habillée, j'ai fait mon lit et j'ai fourré tous les vêtements sales que j'ai trouvés dans le panier à linge. Puis j'ai décidé d'essayer de rebrancher le câble de la télé. J'allais leur en boucher un coin! Si, au retour, Pierre et Benjamin m'avaient trouvée bien au chaud et confortablement allongée sur le tapis, en train de regarder les dessins animés tandis qu'eux s'étaient démenés sous la pluie, ils en auraient fait une crise de nerfs!

J'ai tiré le téléviseur loin du mur et j'ai saisi le câble. Au bout, il y avait une vis argentée et un morceau de fil qui sortait. Comment devait-on raccorder ça? J'allais peut-être prendre un choc? Une fois, j'avais utilisé un couteau pour retirer un morceau de pain calciné d'un vieux grille-pain et j'avais reçu une décharge électrique; on aurait dit des épingles et des aiguilles qui s'enfonçaient partout dans mon corps. Je n'avais pas envie de revivre cette expérience.

C'était inutile. Je ne savais pas comment raccorder le foutu fil. J'allais être obligée d'attendre le retour de ma mère. Ah! je me proposais de bien observer comment elle s'y prenait, juste en cas!

Je n'avais rien à faire — rien du tout! J'ai arpenté le salon pendant des heures. J'allumais et j'éteignais les lumières. J'ai même fini par lire quelques pages du livre de bibliothèque de ma mère. Finalement, je me suis affalée sur le canapé-lit devant la fenêtre du salon et j'ai regardé dehors. La maison était tellement tranquille que je pouvais entendre le gargouillis de la pluie qui courait tout le long des gouttières. Notre pelouse ressemblait à un minuscule carré de gazon trempé et la haie qui nous sépare du trottoir penchait en avant tant elle était gonflée d'eau. De l'autre côté de la rue, je pouvais voir une vieille voiture noire qui avait l'air de sortir de l'arche de Noé. Son vieux propriétaire passait son temps à la laver et à l'astiquer, mais je ne l'avais jamais vu au volant.

Des parapluies noirs, rouges et jaunes se dandinaient devant mes yeux : sans doute des gens qui se hâtaient d'aller se mettre au sec après leurs emplettes du samedi. Un petit enfant vêtu d'un manteau et d'un chapeau jaune sautait dans une grosse flaque d'eau juste devant la vieille grille de fer de notre entrée. Il s'amusait ferme et se fichait pas mal d'être trempé. Je me sentis très vieille tout à coup. Dans le temps, moi aussi j'aimais beaucoup bondir dans les flaques d'eau. Pierre et moi faisions des concours d'éclaboussement en revenant de l'école. Soudain, une formidable envie s'empara de moi: celle de barboter dans la flaque jusqu'à ce que l'eau ait disparu et que je sois complètement mouillée.

En deux temps, trois mouvements, j'ai chaussé mes bottes, j'ai mis mon imperméable et j'ai filé vers le trottoir. L'enfant était parti. D'un élan... SPLACHE! j'ai atterri dans l'eau, pieds joints, en plein milieu de la flaque boueuse! Je fus aspergée par une gerbe de gouttelettes noires qui ourlaient même mes cils, si bien que le monde m'apparut tacheté de grosses pastilles sales. C'était génial! Mais, comment aurais-je pu prévoir, moi, qu'un passant déambulerait justement dans les parages à cet instant précis? C'était l'homme qui habite au bout de la rue et qui accompagne maman à ses cours à l'université.

Il figea sur place, l'eau sale dégoulinant sur lui comme une douche noire. Il demanda d'une voix très calme:

— Pourquoi as-tu fait ça?

C'est étonnant de penser au nombre d'idées différentes qui peuvent nous passer par la tête en l'espace d'une seconde! D'abord, cet homme, savait-il qui j'étais? S'il l'ignorait, j'avais peut-être une chance de m'en sortir si je décampais, sauf qu'il avait dû me voir ouvrir la grille! Et puisqu'il savait que maman habitait là... Il valait mieux prendre un air désolé et essayer de nettoyer la boue de son pantalon de velours côtelé couleur crème en me confondant en excuses. Au fond, c'était bien de sa faute s'il portait un pantalon pâle par un tel jour de pluie. En fait, ce que j'avais vraiment envie de faire, c'était de sauter très haut à nouveau et de l'éclabousser encore partout: juste d'y penser me faisait presque sourire. Puis je finis par dire:

— Je n'en sais rien.

Grand et mince, il avait des cheveux noirs frisés. Son parapluie noir était troué à deux endroits. Ses bras étaient chargés de sacs de papier et d'emballages de pain qui avaient l'air entièrement mouillés et pleins de boue. J'ai soupiré.

Il m'a dévisagée de son regard bleu. Je me suis demandé s'il était professeur: son allure et ce regard qui vous glace me faisaient penser à quelqu'un qui enseigne.

— Ne vas-tu pas t'excuser? demanda-t-il.

— Pardon, dis-je.

Mais mon envie de sauter dans l'eau jusqu'à ce qu'il soit complètement trempé était loin de s'être envolée. Savait-il lire dans les pensées? Il m'a regardée d'un drôle d'air et a murmuré:

— Mmmmm.

Puis il continua son chemin. Ou plutôt, il se mit à clapoter, parce que presque toute la flaque d'eau s'était retrouvée dans ses chaussures.

Tout à coup, je me suis demandé si c'était lui qui donnait à maman toutes ces idées à propos de la télévision. Si j'en avais eu le courage, je lui aurais lancé au visage toute la litanie des jurons et des gros mots que je connaissais. De toute façon, il valait mieux qu'il ne se plaigne pas de sa douche à maman; j'avais déjà assez d'ennuis comme ça.

Je venais à peine de me débarrasser des mes bottes pleines de boue et de mon manteau quand Benjamin, Pierre et maman sont entrés. Ils étaient encombrés de paquets qu'ils laissèrent tomber sur la table; puis ils lancèrent toutes leurs affaires mouillées sur les bouches de chauffage pour les faire sécher.

— Vous êtes partis longtemps, dis-je.

— On a mangé des pâtisseries et bu du lait fouetté à la Boutique Soleil, dit Benjamin en glissant sur le plancher sur ses chaussettes. J'ai pris un... chose au chocolat, un quoi, maman?

— Un éclair.

— C'est ça, un éclair. C'était fantastique! Meilleur que le gâteau à la pâte d'amande de Pierre. Et puis on a bu du lait fouetté aussi, sauf maman qui a pris un café.

La faim me tiraillait l'estomac et voilà que j'apprenais qu'ils étaient allés au restaurant sans moi! C'était révoltant. J'ai rugi:

— Je te défends de dire «fantastique»; c'est *mon* mot!

— Je le dirai si j'en ai envie, n'est-ce pas maman? Je peux dire tous les mots que je veux!

— Oh! tais-toi, lui sifflai-je dans l'oreille, sinon je vais te coller les lèvres avec du ruban gommé.

Et j'ai écrasé l'un de ses orteils.

— Aïe! a hurlé Benjamin. Anne me pile sur le pied.

— Pardon, dis-je d'une voix contenue. Tu devrais regarder où tu te fourres les pattes.

— Il y a une pâtisserie pour toi dans le sac, Anne, dit maman en me coulant un regard chargé de sens.

— Quelle sorte?

— Un éclair! s'écria Benjamin en souriant. Je l'ai choisi pour toi, Anne. C'était le plus gros.

— Je n'aime pas les éclairs, dis-je. Je les déteste.

Le sourire de Benjamin disparut et ses lèvres se mirent à trembler.

— Je pensais que tu les aimais.

— Je parie, dis-je pour l'agacer, que tu voulais en manger un autre, espèce de goinfre!

En fait, j'adore les éclairs et Benjamin le sait très bien. C'est juste que la colère me rendait méchante. Alors pourquoi avais-je tant envie de le prendre dans mes bras et de lui faire un câlin? Je suis sortie de la cuisine en claquant la porte et je me suis jetée à terre devant le téléviseur.

— Maman! Tu as oublié de raccorder le câble avant de sortir. Je veux regarder le film.

Ma mère est entrée tout doucement dans le salon.

— Anne, tu n'as pas compris? Quand j'ai dit que nous avions besoin de nous reposer de la télévision, je ne parlais pas d'une seule soirée.

Je me suis demandé si elle voulait dire toute la fin de semaine.

— Je ne voulais pas dire une seule soirée, reprit ma mère posément, je voulais dire pour toujours.

○

Trois heures plus tard, Pierre et moi étions assis dans un coin près de la vieille fournaise. La gorge nous piquait d'avoir tant discuté et argumenté et nous avions les yeux rougis à force d'avoir pleuré.

Pour couvrir la saleté et la poussière de la cave, nous avions étendu un vieil édredon par terre et appuyé des coussins au mur. C'était l'endroit le plus chaud de la maison; la lumière n'y entrait à peu près pas, mais c'était tiède et confortable. Autrefois, la fournaise chauffait au charbon, mais elle avait été re-cyclée. J'aurais aimé qu'elle fonctionne encore comme avant: on aurait lancé des gros morceaux de charbon dans son ventre.

On nous avait dit que l'ancien propriétaire de la maison était un véritable avare: il ne payait jamais ses factures d'huile à chauffage. On s'était même demandé s'il n'était pas mort gelé, puisqu'on l'avait trouvé sans vie dans son lit. Mais à quatre-vingt-quinze ans, il avait dû mourir de vieillesse. On avait emporté le lit dans lequel il était mort. Toute la maison avait été vidée, à l'exception d'une vieille valise en cuir verdâtre qui traînait à l'autre bout de la cave. L'agent immobilier avait laissé entendre qu'elle était bourrée de vieilleries et qu'il allait la donner à l'Armée du salut. On avait essayé de l'ouvrir une fois, sans succès.

Pierre s'est essuyé le visage sur le coussin violet.

— Est-ce que tu la détestes? demanda-t-il d'une voix tendue et étouffée.

— Oui, dis-je.

Et c'était vrai. Je la détestais. Elle avait ruiné ma fin de semaine. Elle s'apprêtait à ruiner ma vie entière.

— Si seulement on avait pu aller vivre avec papa, pleurnicha Pierre. *Lui*, il nous laisserait regarder la télé autant qu'on veut.

— Vraiment?

J'étais un peu surprise. C'est vrai que je détestais maman, mais je n'avais aucun sentiment d'estime pour papa. Je le connaissais à peine et je n'avais pas la moindre envie d'aller vivre avec lui. Il était correct, sans doute, mais quand il me regardait, j'avais l'impression qu'il ne me voyait pas. Il ne regardait que ses cailloux, de toute façon. Quand je lui posais une question, il me faisait un interminable sermon farci de grands mots et parsemé de phrases si longues qu'on aurait pu les dérouler et en recouvrir le plancher. Un jour, je lui avais demandé pourquoi il fallait se brosser les dents. Parfois, je pose des questions, comme ça, pour meubler la conversation. Papa s'était lancé dans une conférence sur la plaque dentaire, le calcium et le pourrissement. Il avait utilisé des milliers de mots dont j'ignorais l'existence. Tout ce que j'avais espéré entendre, c'était:

— Sinon, tu auras des caries.

J'ai demandé à Pierre:

— As-tu *vraiment* envie d'aller vivre avec papa?

— Bien... pas vraiment, dit Pierre en reniflant encore. Mais ce n'est pas juste! Si j'étais un adulte, je ne ferais jamais un tel geste. Les enfants se font toujours avoir.

J'étais très occupée à repousser mes dents de devant avec mes doigts. Ça m'aide à penser et à me concentrer. J'ai marmonné :

— Est-ce que ça te déplaît de haïr maman? Moi, j'ai d'affreux remords quand je déteste maman: je me sens bouillir en dedans et j'ai envie de la taper. Mais c'est un sentiment qui fait mal.

— Non, dit Pierre. Quand je déteste, je déteste. Je ne me pose pas de questions.

Pierre n'a pas une imagination débordante. Il ne voit pas plus loin que le bout de son nez.

— En tout cas, ce qu'elle nous fait subir, je ne le prends pas, dis-je.

— Que peux-tu y faire?

— J'ai un plan, répondis-je. Écoute bien: lundi, à l'école, je vais aller dans à l'auditorium et examiner soigneusement le téléviseur de l'école. Je sais qu'il est *câblé*. Je vais voir comment le fil est branché et je vais en faire le plan. De retour à la maison, on pourra brancher le nôtre et paf! tout s'arrangera!

— Maman va faire une scène.

— Elle n'en saura rien. Quand elle rentrera à 5 heures, on le débranchera et on fera nos devoirs ou quelque chose du genre.

— Ça nous donne peu de temps, à peine une heure, dit Pierre. On a l'habitude d'être plus gâtés.

— C'est mieux que rien. Et puis, si on se dépêche en sortant de l'école, on aura presque deux heures de télé.

— Benjamin va bavasser.

— Non, il ne dira rien, ou alors il va crever. Je m'en charge. Ne t'inquiète pas.

— Quel dommage qu'on n'ait pas d'amis dans le coin! On aurait pu aller chez eux, soupire Pierre. Il y a bien Thomas, mais son père travaille de nuit et comme il dort le jour, Thomas n'a pas la permission d'inviter qui que ce soit chez lui.

— Moi, je ne connais personne. Il faut toujours que je garde Benjamin, et qui voudrait le recevoir chez lui, ne serait-ce qu'une minute?

— C'est vrai, trop vrai! soupira Pierre.

— Alors?

— Alors quoi?

— Alors, mon plan est bon?

— On peut toujours l'essayer, fit Pierre en haussant les épaules.

C'est ce que j'avais l'intention de faire. Si seulement lundi matin pouvait se dépêcher d'arriver!

○

Jamais je n'avais passé une fin de semaine aussi longue! En plus, on a eu la visite de grand-maman Brian pour le souper dimanche. D'habitude, on pouvait s'éclipser et regarder *La mort frappe sept fois* ou *Espions et compagnie*. Mais cette fois, on n'a rien pu faire d'autre que d'écouter sa conversation. Ce n'est pas que je n'aime pas ma grand-mère. Elle est active et moderne et elle s'habille à la dernière mode. Elle n'a même pas l'air assez vieille pour être une grand-mère. On lui fait souvent cette remarque et c'est vrai. Elle habite un gratte-ciel et travaille dans une merveilleuse boutique de fleurs qui regorge de fougères vertes et d'odeurs de terre. J'adore y aller et tremper mes pieds dans l'étang rempli de plantes aquatiques, qui occupe le centre du magasin. Mais ça la met plutôt en colère.

En fait, la seule chose qui me dérange à propos de grand-maman, c'est qu'elle persiste à vouloir réconcilier papa et maman. Elle dit que maman nous prive de bonheur, Benjamin, Pierre et moi. Pourquoi ne nous fiche-t-elle pas la paix? Elle ne cesse pas d'en parler et me répète constamment:

— Je sais ce que tu ressens, Anne!

Puis elle me serre très fort, comme si j'étais à l'agonie.

Peut-être que certains enfants ont des problèmes quand leurs parents divorcent.

Une fille de ma classe a pleuré dans son oreiller tous les soirs pendant six mois! Je pense que ça plairait à grand-maman que je fasse pareil. Mais moi, je ne la comprends pas. Si seulement elle consacrait ses énergies à régler des problèmes majeurs: convaincre maman de rebrancher la télé, par exemple!

Un désastre

Notre école est à quelques pas de la maison et c'est bien commode. Aujourd'hui surtout, car l'humidité est telle que les feuilles des érables bordant notre rue ont l'air de dégouliner des branches. Moi-même, je me sentais comme une feuille mouillée en faisant traverser la rue à Benjamin pour le conduire jusqu'au terrain de l'école. D'habitude, on s'arrête en plein milieu de la rue et on jette un coup d'œil aux montagnes en vitesse. De là, on a une vue formidable et Benjamin et moi aimons vérifier combien il y a de neige sur les sommets et voir si le soleil touche le bracelet de «la Princesse». La Princesse est une chaîne de montagnes qui ressemble vraiment à une femme allongée et ce qu'on appelle son bracelet, c'est en fait le téléférique qui emmène les skieurs en haut des pistes; quand le soleil brille sur les câbles métalliques, on dirait un diamant sur son bras. Mais quand il pleut, on ne voit rien. Les montagnes disparaissent sous une couverture grise, comme si elles n'existaient même pas.

J'ai laissé Benjamin dans la cour couverte où se rassemblent les petits et j'ai grimpé en vitesse les marches de l'escalier principal. Le seul endroit où notre présence est permise avant la sonnerie, c'est la bibliothèque: elle voisine avec l'auditorium et j'avais l'intention de faire une visite rapide au poste de télé.

Une drôle d'odeur règne dans notre école: un mélange de moisissure et de craie. Il faut dire qu'elle a soixante-dix ans, alors ses fissures sont remplies de soixante-dix ans de poussière et de craie. Elle est bien différente de mon autre école, qui était moderne, avec de grandes baies vitrées et des planchers recouverts de tapis. On s'arrangeait comme on voulait dans mon autre école et personne ne contrôlait notre présence. Dans mon aire ouverte, on tenait à cent vingt élèves et cinq enseignants. On pouvait déambuler dans la salle, visiter ses amis et parler quand on en avait envie. Ici, on se fait réprimander si on quitte la pièce sans permission. Et puis il n'y a ni aires ouvertes, ni baies vitrées — seulement trois étages de briques rouges.

Une fois, j'ai quitté la classe de M. Richard pendant qu'il n'en finissait plus d'expliquer une expérience scientifique ennuyante. J'ai pensé aller rendre visite à Pierre dans sa classe. Oh! là! là! ce geste a causé tout un émoi! Mme Gilbert a dit que j'avais interrompu sa présentation et elle m'a obligée à aller chez le directeur. Il m'a sermonnée pendant presque une heure et m'a renvoyée chez M. Richard qui, à son tour, m'a fait un autre discours et a exigé que je demeure à l'école après la classe pour reprendre l'expérience. Je lui ai dit que je ne pouvais pas rester parce que je devais garder Benjamin, alors il m'a envoyée chercher mon petit frère et j'ai dû le laisser à la bibliothèque jusqu'à ce que j'aie fini.

Tout allait mal pour moi ces jours-là! J'aurais dû me douter que ça n'irait pas. La fanfare occupait l'auditorium pour une répétition. J'ai traîné en attendant qu'elle termine, en me bouchant les oreilles avec mes mains pour enterrer le sons discordants. Tout à coup, M. Vincelli, le directeur, s'est approché et a dit:

— Ou bien tu entres dans la bibliothèque ou tu restes dehors.

Je suis donc allée à la bibliothèque feuilleter de vieilles copies du *National Geographic* jusqu'à ce que la cloche sonne.

Une demi-heure plus tard, quand la classe a recommencé, la chance est revenue. M. Richard s'époumonait à propos de je ne sais quoi — je ne l'écoutais pas vraiment. Mon pupitre est à l'arrière de la classe, juste dans un coin. À dire vrai, c'est la première fois de ma vie que je suis assise à un pupitre. À l'autre école, on avait des tables. Tout à coup, j'ai entendu M. Richard dire:

— ... et tous les moniteurs d'audiovisuel apprendront comment installer le projecteur de 16 millimètres, le projecteur de diapositives, le magnétoscope pour la télévision, les tourne-disques et les appareils à cassettes.

Le mot *télévision* a retenu mon attention. Quelle occasion formidable de recueillir tous les renseignements dont j'avais besoin!

— Que tous les garçons qui veulent être moniteurs d'audiovisuel lèvent la main, a poursuivi M. Richard.

J'ai aussitôt levé la main et je l'ai agitée avec énergie. Un éclat de rire a envahi la classe.

— Hé! c'est un garçon, a ricané un petit futé de la première rangée, dont je ne connaissais pas encore le prénom.

— Tu veux faire la drôle, Anne? a demandé M. Richard en haussant les sourcils.

— Non, ai-je dit en avalant ma surprise. Je veux être *monitrice* d'audiovisuel.

M. Richard a eu l'air embêté.

— Nous n'avons eu que des garçons dans le passé. Es-tu sûre que tu veux vraiment faire ce travail? Ça prend beaucoup de temps.

La moutarde commençait à me monter au nez. J'ai dit:

— Pourquoi les filles ne pourraient-elles pas être monitrices d'audiovisuel?

Vraiment, qu'est-ce que les garçons ont de si extraordinaire? Les filles sont aussi bonnes que les garçons.

— Elles n'ont tout simplement jamais voulu, a dit M. Richard en se frottant l'arrière du cou.

Hugo Normand, qui est le garçon le plus gras et le plus malpoli de la classe, s'est levé et m'a regardée fixement:

— Si des filles font partie du groupe de moniteurs d'audiovisuel, alors je refuse d'en faire partie!

— Moi aussi, a dit Andy, un petit maigre avec des taches de rousseur, qui copie tout ce que Hugo fait.

M. Richard a froncé les sourcils:

— Je n'aime pas ce genre de discours. Si Anne est sérieuse, je ne vois par pourquoi elle ne pourrait pas s'essayer.

— Oh! oui, je suis sérieuse, ai-je dit avec fermeté.

Et je l'étais. Ce stupide Hugo se prenait pour qui?

— Allez, a dit M. Richard, tous ceux et celles qui veulent se proposer comme moniteurs d'audiovisuel, levez la main de nouveau.

J'ai levé ma main droite en l'air et je l'ai maintenue levée. Trois garçons ont aussi levé la main.

— Joseph, Sven, Aki et Anne. Le compte est bon, a dit M. Richard. Parfait, vous quatre: nous avons rendez-vous dans la salle d'audiovisuel à l'heure du lunch.

Et voilà. J'avais été choisie. D'un coup, je me suis sentie toute chaude et rayonnante, comme si j'avais gagné un concours. Mais j'ai entendu Mélanie, la fille qui est assise devant moi, dire à son amie Alexandra:

— Elle veut juste se rapprocher de Joseph Kasinsky.

Je déteste cette Mélanie. Elle ne pense qu'aux garçons et aux vêtements. Elle a une grosse poitrine et elle porte un vrai soutien-gorge; quand elle a ses règles, elle le dit à tout le monde. Comme si c'était une chose intéressante à dire. Je pense que Mélanie endosserait des corsets en os de baleine si on lui assurait que c'est la mode. Elle et Alexandra mettent même des collants transparents à l'école. Comment peuvent-elles les supporter? J'ai un collant que j'enfile lors d'occasions spéciales, mais je m'empresse de l'enlever aussitôt de retour à la maison. Une chose est certaine: on est plus confortable dans des jeans et des chaussettes que dans un collant!

Parfois, j'aime bien me pomponner et, si je ne montre pas trop mes *palettes* à la Bugs Bunny, je pense que je ne suis pas trop mal. Mais je ne voudrais pas le faire trop souvent. D'abord, comment peut-on grimper aux arbres quand on porte un collant et une jupe, ou sauter une clôture, ou encore jouer une partie de soccer? C'est vrai que Mélanie et Alexandra se fichent pas mal du soccer: elles n'aiment même pas l'éducation physique. Elle ne cessent pas de rigoler et d'essayer de se cacher derrière le rideau de douche dans le vestiaire. Mme Wilson, la prof d'éducation physique, les attrape tout le temps: en guise de punition, elle les envoie courir trois fois autour de l'école. La semaine dernière, l'alarme pour le feu s'est déclenchée juste au moment où nous étions dans le vestiaire. Mélanie a fait semblant d'avoir peur et elle est sortie en petite culotte et en soutien-gorge; au moins, Alexandra n'est pas aussi stupide.

Je pense que je n'aime pas un seul des élèves de ma classe. Ils croient que je suis snob et prétentieuse. J'ai entendu Marie-Claude Dubé dire:

— Pourquoi est-ce que la nouvelle ne sourit jamais?

Et Mélanie a secoué la tête en disant:

— Parce qu'elle se croit supérieure à nous tous.

Elles ont ri. Je m'en fiche. Si je souris, mes dents sortent. Dans mon autre école, on m'appelait «Bugs». On me répétait:

— Quoi de neuf, docteur?

À la fin, je n'en pouvais plus d'entendre ça. Je riais pour faire semblant de trouver ça drôle, mais ça ne l'était pas. Au fond, j'aime autant qu'on me traite de prétentieuse.

À l'heure du dîner, je ne suis pas allée dans la salle à manger. D'ailleurs, ce n'est pas une vraie salle à manger: seulement quelques tables disposées au sous-sol. Les filles mangent ensemble de leur côté et les garçons, du leur, dans une autre partie du sous-sol. Chaque classe a sa propre table. Moi, j'ai déballé mon sandwich au beurre d'arachides en me dirigeant vers la salle d'audiovisuel. Je voulais arriver avant les autres. Je m'amusais à danser le long des corridors et de l'escalier. J'étais fière de moi; le beurre d'arachides descendait en mottes dans mon estomac tandis que je sautais en avalant, mais tant pis!

La salle d'audiovisuel est une espèce d'immense placard sans fenêtres, à l'intérieur de la bibliothèque. Elle est remplie de tourne-disques, de chariots roulants peints en gris, de câbles et de bobines de film vides. Il est défendu de manger dans la bibliothèque, alors j'ai gobé ma dernière bouchée de sandwich avant d'entrer. Je n'étais pas la première arrivée. Aki balançait ses jambes du haut du chariot sur lequel il était assis. J'ai dit:

— Allô!

Aki est le meilleur élève de la classe. Il ne suit même pas le programme de mathématiques de la sixième: il fait déjà celui du secondaire.

— Allô, Anne! Comment se sent la première monitrice d'audiovisuel? demanda-t-il en souriant largement de toutes ses belles dents blanches et droites.

J'ai soupiré en dedans et j'ai dit avec précaution:

— Un autre gain pour les féministes!

— Oh! tu en es?

— Je ne sais pas, ai-je dit en bafouillant. Je n'y ai pas vraiment réfléchi.

Et c'était la vérité. Cette remarque avait surgi tout d'un coup, comme il m'arrive quand j'essaie de converser poliment. J'ai poursuivi:

— Ne crois-tu pas que des filles peuvent être monitrices d'audiovisuel alors?

— Moi? a dit Aki en souriant. Ça m'est égal. Si ça leur tente. Filles ou garçons, ça ne change rien.

Je commençais à avoir envie de sourire aussi, mais j'ai pensé à couvrir ma bouche avec ma main avant d'ajouter:

— C'est aussi mon avis.

— Hé! Anne, a continué Aki en sautant en bas du chariot, qu'il a envoyé rouler gracieusement du bout du pied jusqu'au mur, Benjamin, dans la classe de Mme Leroux, est-ce que c'est ton frère?

Je fis une grimace. Qu'est-ce que Benjamin avait encore fait? J'ai répondu:

— Un vrai désastre! Je suis obligée de le garder tous les jours après l'école.

— Oh! a fait Aki en riant. Mon petit frère Toko est dans la même classe. Il m'a dit hier que lui et Benjamin étaient les élèves les plus chanceux. Veux-tu savoir pourquoi?

Je fis signe que oui.

— Eh bien! continua Aki, Toko dit que lui et Benjamin sont les plus chanceux parce qu'ils ont le plus de lignes bleues le long des bras et ça veut dire qu'ils ont plus de veine!

Pendant une minute, le sens de sa phrase m'a échappé. Des lignes bleues... la cervelle... les veines... la veine...

— Oh!

Je n'ai pu m'empêcher de pouffer de rire, sans oublier de me couvrir la bouche.

— Je pense qu'ils sont en train de devenir copains, a dit Aki. Et si Benjamin est comme Toko, ça va faire une belle paire. Je le garde aussi après l'école et Toko m'épuise.

J'étais surprise. Je n'avais jamais pensé que les garçons pouvaient garder des enfants. J'ai demandé à Aki:

— Est-ce que ton frère parle, parle, parle tout le long du chemin du retour?

— Oui, a dit Aki. Il n'en finit pas de poser des questions. Pourquoi le ciel est-il bleu? Pourquoi doit-on mourir?

— Oh oui! et pourquoi est-ce qu'il pleut? Est-ce que Dieu existe vraiment? Benjamin questionne sans relâche, ajoutai-je.

Comment se fait-il qu'on puisse rencontrer un garçon, seul à seule, et bavarder avec lui en toute amitié, mais qu'à la minute où quelqu'un d'autre arrive, tout cela doive cesser? Est-ce une loi de la nature? Qui donc l'a établie? Aki et moi avions une conversation amicale: il commençait à me raconter la fois où son frère avait inondé la maison avec le tuyau d'arrosage; à ce moment, les autres sont arrivés et il s'est tu. Son visage a changé et il ne m'a plus adressé la parole de toute l'heure du lunch.

— Nous allons commencer, a dit M. Richard d'une voix qui a traversé la pièce. Première chose importante: cette pièce est protégée par un système antivol la nuit, alors tout l'équipement doit être mis sous clef à la fin de la journée. Et le matin, il ne faut pas ouvrir ou tirer la porte tant que le concierge n'a pas débranché le système, sinon les policiers vont arriver, ce qui pourrait être plutôt embêtant.

Il a posé son regard sur moi, comme si j'étais celle qui allait oublier et faire des bêtises. Ce serait plutôt le lot de Joseph Kasinsky. Il se prend pour le nombril du monde, juste parce qu'il est bon au soccer et au ballon volant et qu'il est champion de natation et de badminton. Je le sais parce que, dès mon premier jour d'école, il m'a tout raconté. Debout devant moi, avec ses cheveux noirs frisés tout dégoulinants d'eau de la piscine, en prenant une pose comme si j'étais photographe, il m'a débité l'histoire de sa vie. Je suppose qu'il s'attendait à ce que je tombe à genoux et que j'embrasse ses orteils. Mais je lui ai simplement jeté:

— Et alors?

Il ne me l'a jamais pardonné.

— Aki, a poursuivi M. Richard, tu étais moniteur l'an dernier; veux-tu initier Joseph au fonctionnement du projecteur de 16 millimètres pendant que je l'explique à Anne et à Sven. Ensuite, on va jeter un coup d'œil sur les écrans.

Je n'avais jamais réalisé qu'il y avait tant à faire pour amener une image sur un écran. En premier, il nous a montré comment ajuster la bobine au projecteur et comment y monter le film comme il faut. Heureusement, j'ai noté qu'un schéma était imprimé sur le bout qu'on prend pour amorcer le bobinage; alors si j'oublie quel bout il faut mettre par-dessus et quel bout il faut mettre en dessous et sur quelle bobine enrouler le film pour le faire sortir au bon endroit, je pourrai me référer au petit dessin.

Sven et moi avons essayé d'enrouler le film sur la bobine trois fois chacun. Sven est habile et il a très bien réussi. J'ai fini par l'avoir au troisième essai, mais avec un mal de tête à cause de Sven qui me surveillait comme un aigle. Ensuite, on devait apprendre à mettre le projecteur en marche, comment installer la rallonge qui ressemble à un long serpent jaune, comment rembobiner le film lorsqu'il est fini, comment ajuster le volume, comment faire la mise au point et quoi faire si le film casse. Ce qui me faisait plaisir, c'est que j'accomplissais toutes ces tâches plus vite que Sven. Je me sentais un peu comme si j'avais été soumise à une épreuve — une fille faisant des choses que les filles ne sont pas censées faire — et ça commençait à m'énerver.

Après m'être bagarrée avec les grands écrans blancs pour comprendre comment il fallait les ouvrir et les refermer, j'étais prête à m'écrouler. Il me semblait très clair qu'il allait me falloir plus qu'un sandwich au beurre d'arachides dans le corps si je voulais tenir le coup.

Je fus soulagée d'entendre sonner la cloche. Quelle pause de midi! Et c'est seulement quand M. Richard a eu fermé la porte à clef et que j'ai eu un pied en dehors de la bibliothèque que je me suis rappelé l'unique raison qui m'avait poussée à me porter volontaire: pour voir comment le câble de la télévision était branché. Et dire que je ne m'étais même pas approchée de cet infâme appareil!

Aussitôt, je suis retournée sur mes pas dans la bibliothèque pour demander:

— M. Richard, quand allons-nous étudier le téléviseur?

— Anne, tu es épatante, me répondit-il avec un grand sourire amical. Je pense que nous allons être fiers de toi comme monitrice. Tu vas nous faire honneur.

Si seulement il savait! J'ai balbutié tout haut:

— C'était juste pour savoir!

— Sans doute demain, à l'heure du dîner, a-t-il dit, quand je vais vous montrer comment fonctionne le magnétoscope.

Je me fichais bien du magnétoscope. Est-ce que j'allais finir par savoir? Il fallait que je sache comment faire avant 3 heures et, déjà, j'étais en retard pour la classe. Alors j'ai demandé:

— Puis-je vous poser une question maintenant?

— Fais ça vite, répondit-il en regardant sa montre. On est en retard.

— Bien, euh!... c'est au sujet du câble qui est branché à l'arrière de notre télé. Il sort du plancher et est relié à la ligne téléphonique, je crois.

— Oui.

— Si on le touche, est-ce qu'on peut recevoir un *choc*? une décharge électrique, je veux dire? Comment est-ce qu'il est fixé à l'appareil?

— Tu as beaucoup de choses à apprendre, Anne, a-t-il dit. C'est une antenne. Non, le câble n'est pas chargé mais simplement vissé à l'antenne. Il n'y a pas de danger. Mais est-ce que tu as des ennuis avec ton câble?

Il ne pouvait soupçonner combien il était près de la vérité. Je m'empressai de dire:

— Non, j'ai simplement envie de savoir. Merci, M. Richard.

Après ce mensonge, j'ai filé à toute allure pour éviter d'autres questions. Enfin je savais quoi faire! Je pouvais réparer la télé!

Que ç'a été long avant d'arriver à 3 heures! J'ai dû endurer les sciences humaines et les ennuyeux Babyloniens; à l'atelier d'arts plastiques, on a fait des collages collants. J'ai fini par passer au travers et je suis sortie à l'air frais et coupant. La pluie s'était enfin arrêtée.

Benjamin m'attendait en haut de la cage aux singes dans la cour. C'est toujours là qu'il se tient pour que je n'aie pas besoin de le chercher.

Nous nous sommes précipités à la maison en sautant par-dessus les flaques d'eau. Je le tenais par la main; je me sentais si bien. Il adore que je lui tienne la main. Et puisque mes mains sont toujours glacées et les siennes, comme du velours tiède, il veut que je m'exclame:

— Oh! cette main est chaude comme une bouillotte!

Je me sentais bien en dedans. J'allais préparer des canapés avec du beurre d'arachides et de la confiture de cerises ainsi que des verres de lait pour tout le monde! On allait s'asseoir confortablement sur le sofa-lit et j'allais laisser Benjamin regarder les dessins animés s'il le voulait. Je me sentais très généreuse.

On a enfilé l'allée de béton fissuré, on a poussé la porte et on s'est écrasés dans le salon. Pierre était déjà là. Il rentre toujours le premier. Je pense que son professeur en a marre et qu'il laisse partir les élèves avant la cloche.

— Ça va, lui ai-je lancé, j'ai découvert la solution. Pas de problème. On ne recevra pas de décharge ni rien. Bouge-toi de là! C'est l'heure de *La patrouille du cosmos.*

Pierre s'est déplacé et mes yeux se sont agrandis. Il n'y avait plus de télé! Plus rien! Dans le coin, il y avait un carré poussiéreux sur le plancher de chêne, un carré grisâtre et un fil noir enroulé comme un serpent et attaché avec une ficelle.

Bouffi

— Elle l'a emporté, dit Pierre d'une voix blanche.

— Elle l'a quoi? Comment le sais-tu?

Je l'ai attrapé par l'épaule et j'ai tenté de le secouer. Il a crié:

— Arrête ça!

Il m'a poussée avec force contre le mur et je me suis frappé la tête.

— Tu n'avais pas besoin de faire ça!

Je sentais des larmes me piquer les yeux sous mes paupières et j'avais une boule dans la gorge.

— C'est toi qui as commencé, a-t-il hurlé.

— Veux-tu bien me dire ce qui s'est passé, sinon... sinon, je vais t'agripper encore.

— Toi et tes soldats armés? lança-t-il avec dédain.

— Oh! tais-toi, imbécile!

J'aurais pu le tuer.

— Tiens, lis ça, dit-il en me fichant sous le nez un bout de papier. C'était un message de maman, collé au frigo:

Chers vous trois,

Vous souvenez-vous de Rachel? Elle est clouée au lit avec un mal de dos, la pauvre! Elle doit rester allongée sur une planche et j'ai pensé que c'était une chance que nous ne regardions pas la télé, chez nous, et que notre téléviseur soit portatif. Elle va pouvoir l'utiliser dans sa chambre jusqu'à sa guérison. Je me suis arrangée pour que son mari vienne chercher notre appareil à l'heure du lunch. On se voit à 5 heures.

Affectueusement,

Maman

— Te souviens-tu de Rachel? m'a lancé Pierre avec colère.

— Oui. Pas surprenant qu'elle ait mal au dos. C'est elle qui passe son temps à aller skier sur des glaciers en hélicoptère.

— On ne peut pas skier en hélicoptère, a dit Benjamin qui avait gardé le silence jusque là.

— Oh! Tu sais bien ce que je veux dire! le rembarrai-je.

— Qu'est-ce qu'on fait maintenant? demanda Pierre en me dévisageant comme si j'avais dix réponses toutes prêtes sur la langue.

Je me suis affalée sur le canapé-lit et j'ai pressé mon visage contre la vitre froide de la fenêtre. Encore de la pluie. Je me sentais comme le temps: en dedans de moi tombaient une pluie froide et d'énormes grêlons glacés.

— Ne peux-tu pas inventer quelque chose? fit Pierre d'une voix au bord des sanglots. Si on allait chez Rachel pour récupérer notre téléviseur?

— Ne dis pas de sottises.

— Alors quoi?

— Pas de doute, il faut faire quelque chose.

Nous allions faire quelque chose. Il le fallait à tout prix.

— Une grève de la faim, a proposé Pierre en s'écrasant près de moi. On arrêterait de manger jusqu'à ce qu'elle récupère la télévision et nous laisse la regarder.

C'était une idée et j'y réfléchissais. Combien de temps pouvais-je rester sans manger? La seule idée de jeûner fit gronder mon estomac. Je ne pensais pas pouvoir sauter un seul repas. La seule fois où je l'avais fait, c'était lorsque j'avais eu le rhume et que j'avais vomi toute la journée. Pierre n'avait pas tellement d'appétit, alors peut-être pouvait-il résister, lui. Il laissait toujours la moitié de son repas et ne touchait ni aux légumes ni même aux fraises. Et Benjamin était trop jeune. On ne pouvait pas exiger qu'un gamin de cinq ans fasse la grève de la faim. De toute manière, je doutais fort qu'il accepte de jouer le jeu. Je dis:

— Je ne pense pas que ça puisse marcher. Mais on pourrait essayer une grève du silence.

— Qu'est-ce que c'est?

— On... on se tait... tout simplement. Si elle dit quelque chose, tu branles la tête pour dire oui ou non. On l'a fait à l'école une fois avec une remplaçante. Elle s'est fâchée et a quitté l'école, si bien qu'on a eu un après-midi de congé.

Tout en exprimant mon idée, je savais bien que ça ne marcherait pas. Maman n'était pas une enseignante suppléante. Elle dirait:

— Qui veut de la viande et des pommes de terre?

Et si on ne répondait pas, on n'aurait rien. Je pouvais déjà l'entendre. J'avais déjà essayé de ne pas parler à maman, mais ma mémoire flanchait toujours. J'avais toujours quelque chose d'urgent à dire, comme:

— J'ai besoin d'un dollar pour acheter des *hot-dogs* à l'école demain.

J'aurais pu écrire mes messages, mais ça aurait pris trop de temps.

— Ça ne pourrait pas marcher de toute façon, dit Pierre. Une grève du silence ferait tout à fait l'affaire de maman, puisqu'elle se plaint toujours du bruit.

Il avait raison.

— Si on l'enfermait dehors? continua Pierre. On pourrait mettre la chaîne à la porte.

— Alors nous n'aurions pas de souper, ai-je dit. Et puis elle alerterait la police ou les pompiers.

— Bon! je pense... commença Pierre...

C'est alors que de terribles jappements retentirent au dehors, à l'avant de la maison, et qu'un enfant se mit à crier à fendre l'âme. C'était Benjamin. Il était dehors et il hurlait!

Pierre et moi sommes entrés en collision en nous ruant vers la porte pour sortir. Benjamin avait dû s'éloigner tandis que nous discutions. J'ai ouvert la porte et Benjamin, tout trempé, a jailli comme un caillou projeté par un lance-pierres. Derrière lui se tenait le plus gros, le plus gras et le plus mouillé de tous les chiens que j'avais vus. La bête tentait désespérément de se hisser sur le perron.

— Sauvez-moi! Sauvez-moi! hurla Benjamin en venant se cacher derrière moi.

— Oh! arrête ça! criai-je au chien qui m'aspergeait entièrement de gouttelettes d'eau sale.

— *Grr, grrr*! gronda le chien, les poils du dos tout hérissés, tandis qu'il atteignait le perron et franchissait la porte, puis glissait et dérapait sur le plancher verni.

C'était un chien «pot-pourri»: un corps brun et noir, des pattes et une queue blanches comme son poitrail, et rond comme un tonneau monté sur quatre petites pattes.

Pierre attrapa le balai dans le placard et commença à chasser le chien vers la sortie. Je me suis tournée vers Benjamin et j'ai vu ce qu'il tenait à la main: un os! Un vieil os tout gris!

— Benjamin! m'écriai-je, tu as l'os du chien.

Et je le lui arrachai en disant à Pierre:

— Regarde: il lui a pris son os.

— Je voulais juste jouer avec lui, dit Benjamin, les joues couvertes de larmes.

J'ai ramassé l'os pour lui lancer et le faire courir après, mais il s'est mis à courir après moi.

Pendant ce temps, Pierre avait réussi à mener le chien dehors. Pauvre chien! Il restait là, soufflant dans la pluie, la queue entre les pattes et ses gros yeux bruns rivés sur l'os dans ma main. Il était vraiment le chien le plus gras que j'avais vu. Une grosse saucisse tachetée.

— Hé! toutou, va le chercher!

Je lançai l'os sur le parterre humide. Le chien battit des paupières quand l'os vola par-dessus sa tête, mais il ne fit pas un seul mouvement.

— Quel chien stupide! Il ne sait même pas récupérer son propre os, se mit à rigoler Pierre.

— C'est le chien d'à côté, ajouta Benjamin en se frayant une place entre nous deux pour regarder en bas des marches. Ils viennent juste d'arriver.

— De quel côté? demandai-je.

Nos voisins de gauche habitaient une maison de brique sombre qui semblait fermée et inhabitée. Je n'avais jamais vu personne y entrer ou en sortir. Mais de l'autre côté — à droite — vivaient deux vieilles dames qui raffolaient de leur jardin. Elles passaient leur temps à désherber, à tailler, à nettoyer et à attacher des plantes. Ça m'était difficile de les imaginer en compagnie d'un chien.

— La maison des vieilles dames, dit Benjamin. Je le sais parce que le chien est passé par un trou sous leur clôture, avec l'os dans sa gueule.

— On ferait mieux de le remmener, alors.

On ne pouvait pas le laisser là. Il pouvait filer dans la rue. Mais à bien le regarder, je ne pouvais pas l'imaginer courant quelque part. Pierre et moi avons déclaré tous les deux ensemble:

— Je vais le reconduire.

— Non, c'est moi! larmoya Benjamin. C'est *mon* chien; je l'ai trouvé.

— Ah! oui? Il y a une seconde, tu hurlais et te cachais derrière moi.

— Mais à ce moment-là, il voulait me mordre!

— Pierre et moi allons le remmener. Toi, tu restes ici, ai-je dit. Tu es assez trempé comme ça.

— Je ne veux pas rester tout seul. J'ai peur tout seul. Je vais dire à maman que vous m'avez abandonné! menaça Benjamin.

— Bon! viens-t'en alors, petite peste! Arrête de crier.

J'ai couru et attrapé le chien par le collier. Vraiment, il me faisait l'effet d'une vache plutôt que d'un chien. Pas à cause de sa taille évidemment, mais ses yeux me donnaient l'impression qu'il allait bientôt faire «meuh!» J'ai saisi son gros collier de cuir trempé et j'ai tiré:

— Viens, chien-chien! on s'en va à la maison.

Je l'ai traîné à travers notre entrée et à travers celle des voisines. Je marchais pliée en deux pour tenir son collier. Ce n'est pas facile de marcher le bras tendu presque jusqu'à terre.

Les deux vieilles dames se sont précipitées vers nous dès que nous avons monté les marches; moi, je tirais le chien qui avançait d'un pas lourd à mes côtés et j'escaladais les marches une à la fois. L'une des dames était grande et mince, l'autre, petite et mince; toutes les deux avaient la peau très bronzée et les cheveux blancs.

— Bouffi! méchant chien! où étais-tu?

La grande s'est avancée et a agrippé le collier avec moi. À vrai dire, la plus petite aurait eu la tâche plus facile, vu que le sol était plus à sa portée, mais je n'ai rien dit. J'étais rien que contente de pouvoir lâcher prise. La petite dame a souri en nous remerciant, et l'instant d'après, nous nous sommes retrouvés à l'intérieur de la maison, assis dans le salon, avec des serviettes enroulées autour de nos cheveux mouillés et un grand plateau de biscuits au gingembre devant nous. Nos hôtesses nous apprirent qu'elles s'appelaient toutes deux «mademoiselle Turner» et qu'elles nous avaient entendus jouer dehors. Ça, je ne pouvais pas en douter! Leur façon de parler correspondait tout à fait à leur apparence vive et enjouée. J'ai pensé qu'elles devaient venir d'Angleterre.

— Voyez-vous, mes chéris, dit la petite Mlle Turner tout en s'affairant autour de nous, on vient juste de nous donner Bouffi, cet après-midi même. Nous n'aimons pas vraiment les chiens. Ils dévastent le jardin en creusant des trous dans le gazon. Et puis ils jappent, n'est-ce pas? Mais ce chien appartenait à feu notre frère et nous avons le devoir d'en prendre soin.

Benjamin se tortillait près de moi sur le canapé.

— Pourquoi votre frère est-il en feu? demanda-t-il en engouffrant un biscuit.

Je pouvais entendre la pendule faire tic! tic! tic! dans le silence. Des larmes perlaient aux yeux des deux demoiselles Turner.

— Ça veut dire qu'il est «mort», crétin! sifflai-je dans son oreille. (Benjamin est le champion des questions embarrassantes.)

— Oh! fit Benjamin en continuant de croquer des biscuits, je croyais qu'il était en feu comme une bûche dans la cheminée.

— Benjamin, tais-toi! ai-je dit en lui assenant un coup à la cheville, mais pas assez fort pour le faire crier.

— C'est un très... euh... gentil chien, dit Pierre, hésitant. Il est très... euh...très... euh...

— Gras, chéri, sourit la grande demoiselle Turner.

Et l'instant d'après, on riait tous les cinq et on sentait un courant de bien-être passer entre nous. Je me suis sentie si bien et si heureuse pour un instant que j'ai dit sans réfléchir:

— On peut le promener, si vous voulez...

— Oh! vraiment, chérie? Merci, merci! C'est justement ce qu'il lui faut.

Les deux demoiselles Turner étaient tellement contentes que j'étais vraiment contente, moi aussi; alors on a échangé tellement de sourires que ma bouche s'est mise à me faire mal.

C'est à ce moment-là que j'ai réalisé que Benjamin et Pierre n'écoutaient pas. Ils avaient le regard fixé sur un coin de la pièce. J'ai tourné la tête et j'ai fait comme eux. Dans un angle du salon, entre une armoire vitrée et une plante grasse, il y avait un énorme téléviseur avec un écran géant, recouvert d'un napperon de dentelle.

— C'est notre nouvelle télé, dit la petite Mlle Turner.

— Est-ce qu'on pourrait voir comment elle est? a dit Benjamin en rebondissant sur le canapé.

— Nous, nous n'avons pas de télé, dit Pierre en leur lançant un regard suppliant.

— Pauvres chéris! dit la grande Mlle Turner. Alors venez regarder la nôtre quand vous voudrez.

Formidable! Notre problème était résolu. J'avais peine à y croire — et un écran géant, en plus!

— Le canal 10 est notre meilleur choix à cette heure-ci, fit Pierre avec un clin d'œil dans ma direction, tandis que la grande Mlle Turner mettait le contact. Il ne nous restait plus qu'à relaxer, le ventre plein de biscuits au gingembre, et à savourer *La folle équipée.*

Un bruit se fit entendre à la porte et la sonnette a retenti. Une voix a lancé:

— Youhou! Il y a quelqu'un? Mes enfants sont-ils chez vous, par hasard?

C'était maman.

Annie-Grandes-Dents

En trempant dans la baignoire ce soir-là, j'ai conclu que, décidément, la journée avait été pourrie. Non seulement je m'étais laissé embrigader dans l'équipe des moniteurs d'audiovisuel à l'école, mais je me retrouvais dans l'obligation de promener le gros beagle des voisines. Et tout ça sans avoir atteint mon objectif: avoir une télé. En fait, je m'éloignais de plus en plus du but.

Il va sans dire que ma mère a prévenu les demoiselles Turner que nous n'avions pas la permission, sous aucun prétexte, de regarder même une minute d'une émission télévisée. Elles se sont excusées abondamment et j'ai eu le sentiment d'avoir deux ans. Puis maman m'a grondée pour avoir laissé la porte ouverte et fourni du chauffage à toute la ville de Vancouver. Elle a même été jusqu'à réduire le montant de mon argent de poche pour rembourser les frais, ce qui était injuste parce que ce n'était pas moi qui était sortie en dernier. Mais évidemment, elle n'a pas voulu m'écouter. Elle ne m'écoute jamais.

Le jour suivant ne fut pas plus reluisant. Pendant toute l'heure du lunch, j'ai écouté les directives à suivre pour installer le magnétoscope. Après l'école, j'ai dû promener Bouffi; en fait, plutôt que de parler de promenade, je devrais dire du dandinement. On s'est rendus seulement au bout du pâté de maisons: à ce point, Bouffi s'est assis et a refusé de bouger. Je l'ai poussé et j'ai tenté d'utiliser mon soulier comme un levier et je lui ai même donné une paire de coups de pied. Benjamin a essayé de lui chatouiller le ventre et on a tiré sur la laisse. Rien à faire. Il a fallu attendre quinze minutes avant qu'il reprenne son souffle et puis il a fini par se remettre sur ses pattes et on a réussi à le ramener chez lui. C'était comme promener un escargot géant. Bien sûr, chacun des passants rencontrés s'est écrié:

— Quel chien obèse! Tu devrais lui faire suivre un régime.

À la fin, n'y tenant plus, j'ai répliqué:

— Il est atteint d'une maladie mortelle. C'est pourquoi il est si gras.

Alors les gens étaient gênés et ils disaient, en se sauvant:

— Oh! je suis désolé... désolé...

C'est surprenant combien de gens on arrive à croiser le long d'un seul pâté de maisons.

Le comble, c'est qu'on est tombés sur Velours Côtelé, le bonhomme que j'avais aspergé de boue. Dommage que Bouffi ne soit pas un vrai chien. Il aurait pu le mordre à la cheville, bien fort et bien profondément. Velours Côtelé a été plutôt sarcastique en lançant d'un air narquois:

— Heureusement qu'il n'y a pas de flaques d'eau aujourd'hui!

Je lui ai adressé un regard menaçant, mais il n'a pas semblé impressionné. Il s'est arrêté et, se penchant pour caresser le chien, il a dit:

— Il y a un beagle de race caché sous cette couche de gras, n'est-ce pas? D'où sort-il?

— Il s'appelle Bouffi et il n'est pas à nous, a répondu Benjamin. Il est aux vieilles dames d'à côté. On le sort tous les jours. Mais il n'a pas envie de marcher très loin.

Sacré Benjamin! Il raconterait sa vie au premier agresseur venu.

Velours Côtelé, qui portait ce jour-là des jeans, a ri et dit:

— Marcher, c'est bien ce qu'il lui faut. Et un seul repas par jour. Les beagles ont un fameux appétit. Bonne chance avec votre protégé!

— J'aime ce gars-là, a dit Benjamin tandis que nous poursuivions lentement notre route. Il est gentil. C'est lui qui emmène maman à l'université. Il est...

— Il est IGNOBLE! ai-je dit. Alors tais-toi et conduisons cet animal chez lui avant qu'il nous pousse des racines aux pieds.

○

Le soir, au souper, nous avons eu une longue confrontation. C'est Pierre qui a commencé.

— J'espère que tu réalises que mes notes en sciences humaines vont baisser, a-t-il annoncé à maman, et c'est de ta faute.

— Comment ça?

— Parce que je devrais regarder un reportage du *National Geographic* sur l'Afrique. C'est un préalable pour notre travail; comment pourrais-je le faire si on n'a même pas de télé?

— C'est sérieux, maman, ai-je ajouté. Tu sais comme tu détestes les mauvaises notes. Il va falloir que tu rappelles Rachel pour lui dire qu'on va reprendre notre téléviseur.

Comment pouvait-elle refuser? Notre but était très «éducatif». Mais on ne peut jamais prévoir le comportement des parents, car maman a déclaré calmement:

— Je vais écrire un mot d'explication à ton professeur, Pierre.

— Ça servira à quoi? ai-je demandé. Ça ne permettra pas plus à Pierre de faire son travail.

— Ne te mêle pas de ça, Anne, a dit maman en me lançant un regard dur. Ça concerne Pierre.

— Ça me concerne aussi, ai-je rétorqué sèchement. Moi aussi, j'ai des émissions à regarder parfois. C'est autant mon problème que celui de Pierre.

— Cesse d'être impolie, Anne, ou alors sors de table.

— Je ne veux pas d'un billet pour mon professeur, a dit Pierre en tapant sur la table. Je veux être en mesure de faire ce que j'ai à faire.

Benjamin a tapé lui aussi sur la table et a renversé son lait qui s'est mis à couler partout.

— Pierre! a sursauté ma mère, regarde ce que tu lui as fait faire. Prends un torchon et nettoie cela tout de suite.

Benjamin s'est mis à pleurer parce que ses cuisses étaient pleines de lait. Il l'avait bien mérité, lui qui copiait tous nos gestes. Après que le dégât fut nettoyé, maman a poursuivi:

— De toute façon, je vais faire une plainte auprès de l'école. Le travail scolaire ne devrait pas dépendre de la possession d'un téléviseur. Je vais me plaindre au directeur: c'est absolument inacceptable! Que fait-on si on n'a pas les moyens d'avoir une télé? Bientôt on va exiger l'utilisation d'un magnétoscope.

— J'aimerais bien ça, murmura Pierre.

Je voyais bien que la discussion n'allait nous mener nulle part, étant donné l'humeur de ma mère.

— Qu'est-ce qu'il y a comme dessert? ai-je demandé, tout en sachant très bien qu'il n'y en avait pas.

Depuis qu'elle est absente tout le jour, on n'a plus jamais de dessert. On a des fruits ou bien du fromage et des biscuits.

— Tu sais ce qu'il y a comme dessert, a répondu ma mère. Des pommes et du fromage.

— Sapristi! j'aimais drôlement mieux ça quand tu restais à la maison pour t'occuper de nous! dis-je en sachant que ces mots la rendraient furieuse.

Elle se sent coupable de nous laisser à nous-mêmes. Je le sais parce que je l'ai entendue en parler à grand-maman.

— Ouais! a ajouté Pierre. Avant, on avait des vrais repas, avec un dessert.

— Et de la crème glacée, a crié Benjamin. Crème glacée, crème glacée, on n'a pas assez de crème glacée!

— Arrêtez-vous tous! Si vous n'êtes pas satisfaits du menu, quittez la table!

Elle s'est levée et a commencé à empiler les assiettes. Je suis sortie de table: qui a envie d'une pomme comme dessert?

Le téléphone a sonné. En poussant et en jouant des coudes, j'y suis arrivée avant Pierre. Le téléphone est dans un tout petit renfoncement près de la porte d'entrée. Pour donner une idée de l'espace, disons que si on ouvre la porte, il faut laisser le téléphone et attendre, pour reprendre la conversation, que la porte soit refermée. J'ai dit:

— Allô! en espérant entendre la voix de grand-maman qui nous inviterait au cinéma ou à une sortie de ce genre.

Mais une forte voix d'homme fit:

— Je veux parler à Suzie.

— Suzie?

— Ouais! Suzie Bernard. Allez, la p'tite, grouille!

J'ai pensé que ça voulait dire maman. Elle se nomme Suzanne Bernard, mais personne ne l'avait jamais appelée Suzie. J'ai crié:

— Maman! un homme te demande. Il veut parler à Suzie Bernard.

— Oh! mon Dieu! a dit maman en se précipitant dans l'entrée. Ça doit être Karl. J'avais complètement oublié pour ce soir.

Je suis restée près d'elle. C'était louche: elle était devenue instantanément toute rouge.

— Allô! Karl? Oui.. oui... Non, pas du tout... Je serai prête... 7 heures tapantes.

Elle a raccroché et dit:

— Anne, c'est très impoli de rester près de quelqu'un pour écouter sa conversation.

— Pardon, dis-je. Est-ce que tu sors?

— Oui. Un homme de ma classe m'a invitée à une partie de hockey.

Mes yeux se sont écarquillés tout grands. Ma bouche s'est ouverte et je pouvais presque sentir mes dents pointer vers l'avant.

— Mais maman, tu détestes le hockey!

Pierre, qui était resté dans les parages, s'est mis à tousser et à étouffer. Il a dit:

— Ce n'est pas juste. C'est moi qui aime le hockey. C'est moi qui collectionne les cartes de hockey. Tu ne connais même pas les règles du jeu. Je parie que tu ne sais même pas quelles équipes jouent ce soir. Allons, dis-moi donc qui joue?

Maman avait la mine basse.

— Je sais. Je sais. Mais c'est moi qu'il a invitée. Peut-être, si j'en viens à mieux le connaître, vous invitera-t-il une autre fois. Et puis qui est-ce qui joue ce soir?

— Les Canucks contre les Canadiens, a sifflé Pierre.

Il a couru dans sa chambre et a claqué sa porte. Maman a soupiré:

— Anne, je me demande... qu'est-ce qu'on porte quand on assiste à un match de hockey?

— Comment le saurais-je? Je n'en ai jamais vu qu'à la télé. Quelque chose de chaud, je suppose.

Pierre avait raison. C'était injuste. J'ai lancé:

— Et puis on sera coincés ici sans télé pendant que tu t'amuseras!

— Ça suffit, Anne! Vous pouvez lire, jouer avec les jeux que vous avez reçus à Noël, faire un casse-tête...

La belle affaire: on ne peut penser à des passe-temps plus excitants!

○

Il est arrivé à sept heures moins dix. Dix minutes en avance. J'ai dû lui ouvrir parce que maman était encore dans la salle de bains avec Benjamin. Faire entrer Benjamin dans la baignoire est une entreprise redoutable mais l'en faire sortir est encore pire. L'eau disparaît sous la quantité de jouets et, si on le laisse seul, il attend que l'eau devienne presque glacée avant de sortir.

— Maman va être là dans un instant, ai-je dit en ouvrant la porte.

Il me faisait penser à Joseph Kasinsky en plus gros. Beaucoup plus gros et beaucoup plus bruyant. Sa voix faisait trembler les murs. Le canapé-lit s'aplatissait et gémissait sous son poids. Il était très corpulent. Il me lança:

— Comment t'appelles-tu?

— Anne. Je suis la fille de *Suzanne* Bernard, ai-je dit pour lui faire comprendre que ma mère ne s'appelait pas Suzie, mais il n'avait pas l'air de saisir.

Il ressemblait beaucoup à Joseph Kasinsky.

— Suzie m'a parlé de toi, dit-il en fouillant dans la poche de sa veste de cuir. Tu me refiles un cendrier, hein?

— On n'en a pas, ai-je dit, mécontente.

C'était la vérité. Maman a mis trois ans à cesser de fumer et elle a jeté tous les cendriers à la poubelle pour que personne ne puisse fumer devant elle et lui rappeler son envie. Il fronça les sourcils.

— Bon, bien, donne-moi une soucoupe alors ou un pot de fleurs. Je ne suis pas difficile.

Je lui ai apporté une vieille soucoupe brune ébréchée. Quel culot! Il ne m'a même pas demandé si ça me gênait — et ça me gênait. Je déteste l'odeur du tabac. Je pense que j'y suis allergique.

Je lui ai donné la soucoupe et j'ai ouvert une fenêtre. J'espérais qu'il saisisse l'allusion. J'ai aussi toussé un peu.

— Ma mère a arrêté de fumer, ai-je dit. Ça lui a pris trois ans.

— Ah! personne n'est parfait, a-t-il dit en tirant sur sa cigarette et dirigeant un sourire blanc vers moi.

Il me faisait penser à un crocodile autant qu'à Joseph Kasinsky.

— Hé! Annie, allume donc la télé pour moi; je vais regarder la lutte en attendant.

— Je m'appelle Anne, ai-je dit froidement, et nous n'avons pas de télé.

— Pas de télé? demanda-t-il, les yeux agrandis. Tout le monde a la télé!

— Pas nous — depuis cette semaine, ai-je dit en le dévisageant.

Maman est arrivée en enfilant rapidement son manteau sport.

— Excuse le retard. Anne, Benjamin est au lit; veux-tu lui raconter une histoire? Je...

— Hé! Suzie, l'a interrompue Karl, Annie-Grandes-Dents me dit que vous n'avez pas de télé.

— Anne, dit ma mère avec un brusque mouvement vers moi, tu te plains derrière mon dos, maintenant?

— Mais... ai-je essayé d'expliquer.

— Ferme la porte à clé, Anne, et ne laisse entrer personne.

Maman m'a lancé un de ces regards furieux en sortant, suivie de la carcasse énorme de Karl. Je suis restée figée, la bouche encore ouverte.

Pierre, qui avait manifestement tout entendu à travers la porte de sa chambre, s'est précipité devant moi pour regarder dehors derrière le rideau.

— Il a une Jaguar. Oh! regarde-le filer! J'espère qu'il ne va pas avoir d'accident avec maman à l'intérieur.

— Ça ne me surprend pas qu'il ait une telle voiture, ai-je dit. Rapide et voyante — exactement comme son teint basané qui provient directement d'une lampe solaire.

— Il arrive peut-être d'Hawaï. Il a l'allure d'un riche, a poursuivi Pierre. Penses-tu que maman va l'épouser?

— Ne dis pas de bêtises: elle vient tout juste de le rencontrer.

Sauf qu'on ne sait jamais. J'y ai réfléchi un instant et j'ai conclu que je ne pourrais jamais vivre dans la même maison que cet homme. D'abord, il fumait. Ensuite, il était impoli et affreux. *Annie-Grandes-Dents!* Je sentais ma peau devenir rouge rien qu'à y penser. Quelle méchante et horrible chose à dire! Il avait une voix qui ressemblait au son d'une corne de brume et un sourire de crocodile. Dans mon échelle des valeurs, ceux qui passent leur temps à modifier le nom des gens arrivent au plus bas échelon. Cela veut dire qu'ils ne pensent qu'à *leurs propres* sentiments. J'avais envie de l'appeler Karlo rien que pour voir sa réaction. Vraiment, la seule chose qui avait un peu de sens chez cet homme, c'était...

J'ai regardé Pierre et il m'a regardée et je voyais bien qu'on pensait tous les deux à la même chose. Nous avons crié en même temps:

— *Télévision!*

— Je parie qu'il en a une avec un écran géant, a dit Pierre en se frottant les mains.

— Si on dit à maman qu'il est formidable, elle va peut-être l'inviter très souvent. Il va sûrement continuer à parler de la télé, ai-je dit.

— Oui, oui, oui! Je l'ai entendu en parler seulement après avoir été ici deux minutes.

— Qu'est-ce que ça fait si on ne peut pas le supporter? On n'a pas besoin de le regarder.

— Non. On peut regarder l'écran, à la place!

Pierre s'était mis à sauter sur le canapé.

— Pourquoi criez-vous? a demandé Benjamin de sa chambre. Anne, je veux mon histoire. Je veux *MAX ET LES MAXIMONSTRES* !

— J'arrive! ai-je crié.

Je savais *Max et les maximonstres* par cœur. Je n'avais même pas besoin de regarder les mots du livre.

○

À peine avais-je bordé Benjamin et éteint sa lumière que le téléphone a sonné. Cette fois, à ma grande surprise, c'était Velours Côtelé.

— Ma mère est sortie, ai-je dit. Elle est allée voir un match de hockey avec un homme qui ressemble à un boxeur professionnel.

En vérité, je ne devrais pas dire à quiconque au téléphone qu'il n'y a pas d'adulte à la maison, au cas où on viendrait nous attaquer.

Velours Côtelé n'avait pas l'air très heureux d'apprendre la nouvelle. Il a dit:

— Oh! J'allais porter ma machine à écrire électrique à Suzanne pour qu'elle puisse taper son travail de trimestre.

Il y a eu un silence et je me suis demandé si je devais raccrocher.

— À quelle heure rentre-t-elle? a-t-il fini par demander.

— Environ 10 h 30.

— Bon... je vais peut-être aller la porter plus tard.

— Comme vous voulez, ai-je dit.

Et cette fois, j'ai raccroché. Espèce de monstre anti télévision! J'espérais que maman n'était pas en train de s'amouracher de lui, au moins!

Dans la cuisine, Pierre préparait son casse-croûte pour le lendemain. Comme je n'avais rien d'autre à faire, je l'ai rejoint. Je me sentais misérable.

Pierre voulait discuter de la stratégie à adopter pour que maman continue à inviter Karl. En brandissant son couteau plein de beurre dans les airs, il suggéra:

— Je vais lui dire que nous l'admirons et que nous avons beaucoup de choses en commun. Penses-tu que ça ira?

— C'est un mensonge, dis-je. Et en plus, tu n'es même pas venu lui parler.

— Et alors? maman ne le sait pas.

— Ce sont tous des mensonges.

— Et puis? Tu veux une télé ou non?

— Oui.

— Alors, qu'est-ce que tu suggères?

Il avait raison. Sauf que, malheureusement, j'ai une sacrée conscience et dans des cas comme celui-là, elle ne me rend pas service. Ce n'était pas tant à cause des mensonges que parce que je détestais cet homme. L'idée de faire semblant me dérangeait, voilà: prétendre aimer quelqu'un lorsque sa seule vue me donnait la nausée. Mais il y avait la télé.

— Oh! je ne sais pas, dis-je en donnant une bonne poussée sur mes dents. C'est très compliqué.

Quel affreux bonhomme. *Annie-Grandes-Dents!* Je sentais des larmes me piquer les yeux.

— Pas pour moi, a dit Pierre.

— On sait bien, dis-je, tu n'as pas d'imagination.

Et j'ai ouvert toute grande la porte du frigo pour prendre du lait. J'ai saisi un sac de lait et je le lui ai lancé en disant:

— Attrape!

Le sac l'a frappé au ventre et est tombé par terre. Pierre s'est écrié:

— Hé! fais attention! Tu as de la chance que le sac n'ait pas crevé et inondé le plancher.

— J'aurais aimé qu'il crève, dis-je en ramassant le sac et en brassant le lait de haut en bas, de haut en bas...

Soudain, j'ai eu une terrible envie — comme la fois de la flaque d'eau — de sauter sur le sac de lait, de sauter dessus jusqu'à ce qu'il éclate. Je l'ai dit à Pierre. Il m'a regardée; puis il a souri. Il y a un avantage à avoir un frère comme Pierre. C'est vrai qu'il se dispute et conteste souvent, mais quand les choses deviennent sérieuses, il comprend. Il n'a pas essayé de me dissuader, n'a pas fait de sermon, n'a pas ri de moi. Il a simplement dit:

— Ça va faire un fameux dégât sur le plancher.

J'ai fait oui de la tête en continuant d'agiter le sac de haut en bas, de haut en bas. Puis il a dit pensivement:

— Pourquoi pas dehors dans l'allée? La pluie se chargerait de tout nettoyer.

— Oui, oui.

J'étais déjà dehors. Je me demande si je suis folle. Les autres enfants ont-ils des envies comme les miennes, si fortes qu'il n'y a pas moyen d'y résister? Je me souviens qu'une fois, maman a lancé une assiette à papa. Elle s'est fracassée en mille morceaux. Mais quand elle lui en a lancé une autre, celle-ci ne s'est pas cassée du tout. Elle a juste roulé sous la table.

Il pleuvait toujours, évidemment, et la nuit était froide, mais je ne changeais pas d'idée. J'avais comme un nœud au dedans de moi et je devais m'en défaire. J'ai placé le sac de lait au beau milieu de l'allée. Puis je suis remontée sur la plus haute marche du perron, guidée par la lumière du vestibule qui faisait comme une piste jaune devant moi. Derrière moi, Pierre a crié:

— À vos marques! Prêts! Partez!

J'ai dévalé les trois marches en un seul bond, j'ai couru le long de l'allée, fait un saut et, les pieds joints, j'ai atterri sur le sac. *Smash*! Le sac s'est fendu comme une tomate mûre et *wouche!* le lait a jailli, tout droit dans le noir...

Comment pouvais-je savoir que le vieux Velours Côtelé répéterait sa prouesse en apparaissant à la grille juste à l'instant où le lait giclait du sac? Il l'a reçu en plein visage, directement dans l'œil. Il a eu le souffle coupé et s'est mis à tituber dans la grille d'entrée.

J'ai figé net.

Pierre a lâché un petit cri; puis il s'est mis à rigoler doucement avant de rire à gorge déployée.

— Donnez-moi une serviette ou quelque chose! a hurlé Velours Côtelé. Et prenez cette machine à écrire avant que je l'échappe. Je ne vois rien — je suis aveuglé!

Pierre a foncé avec la serviette de bain verte et la lui a lancée tandis que je prenais la machine à écrire. Elle devait avoir le même poids qu'un bébé éléphant et j'ai failli la laisser tomber sur le gazon. Je commençais à me sentir mal:

— Vous n'allez pas le dire à ma mère, hein? C'était un accident, en fait. Enfin, je ne savais pas que vous alliez venir.

V.C. ne répondit pas. Il essora la serviette et me la tendit; il empoigna la machine à écrire, grimpa les marches et la déposa dans le vestibule.

— Tu ferais mieux de l'essuyer avec un torchon humide, dit-il.

Vu dans la lumière du vestibule, il avait vraiment piètre allure et ça devait être collant en plus. Ses cheveux étaient aplatis comme s'ils venaient d'être lavés; et ils l'avaient été, en fait.

— Écoutez, ai-je dit, je vais vous faire des excuses si ça peut vous soulager.

Il s'est retourné et m'a dévisagée.

— Anne, rien de ce que tu pourrais dire maintenant ne pourrait me soulager. Cependant, comme tu sembles déterminée à ruiner toute ma garde-robe, peut-être pourrais-je apporter le reste de mes vêtements jusqu'ici intacts pour que tu puisses les arroser et qu'on en finisse.

Pierre s'est mis à rigoler. Il a demandé:

— Quel est votre vrai nom? Anne vous appelle Velours Côtelé.

V.C. a grogné. Je ne pouvais pas distinguer s'il riait ou bien s'il gémissait.

— Je m'appelle Daniel Vincent. Voulez-vous dire à votre mère qu'elle peut utiliser ma machine à écrire jusqu'à cette fin de semaine, où je viendrai la reprendre. Maintenant, je vais rentrer chez moi prendre un bain chaud.

— Daniel, a appelé Pierre, tandis que V.C. enjambait délicatement les flaques de lait dans l'allée, Daniel, avez-vous une télé?

— *Non!* a crié Daniel en fermant la grille derrière lui.

J'aurais très bien pu répondre à sa place.

La malle de l'avare

On est arrivés en retard à l'école le lendemain, parce que maman avait oublié de régler le réveil, sans doute à cause de ses émotions ressenties lors du match de hockey. En tout cas, elle n'a pas invité Karl à entrer. Je le sais parce que j'étais encore éveillée. Une copine de mon ancienne école, qui avait eu trois pères, m'a raconté que quand sa mère commençait à inviter un homme à la maison après le cinéma ou un «party», elle savait que ça devenait sérieux. Elle savait qu'un beau matin, elle allait se trouver face à face avec son nouveau père, un homme qui se rase tranquillement dans la salle de bains, revêtu d'un peignoir éponge bleu royal. Elle m'a dit que tous ses «pères» avaient la barbe noire et une robe de chambre en tissu éponge bleu royal.

Ma mère n'a pas d'ennuis, elle, si elle est en retard. Personne ne lui reproche de manquer un cours. Mais nous, nous avons dû aller au bureau du directeur pour prendre nos billets de retard. Benjamin pleurait parce qu'il n'avait jamais été en retard, alors j'ai dû le reconduire à sa salle de classe et tout expliquer à son enseignante. De ce fait, j'ai accumulé encore plus de retard et j'ai raté le test de maths.

— Où étais-tu? a demandé Sven, assis au pupitre devant moi. On nous a réclamés, toi et moi, pour installer le projecteur et les films d'Indiens pour Mme Talbot. J'ai été obligé de tout faire tout seul.

— Comment pouvais-je savoir?

— Tu as eu de la chance que j'aie pu me débrouiller.

— Oh! tais-toi, dis-je, en lui donnant une poussée.

— Anne! Que se passe-t-il? demanda M. Richard froidement. Non seulement tu es en retard, mais voilà que tu déranges toute la classe maintenant!

— Ce n'est pas moi! J'ai juste... commençai-je.

— Ça suffit! Mets-toi au travail.

Curieusement, je n'ai pas réussi à me mettre au travail ce matin-là. J'avais à peine sorti mes crayons, ma règle et trouvé la bonne page dans mon manuel qu'on a frappé à la porte. Un garçon de quatrième année grasseyant d'excitation a demandé l'aide des moniteurs d'audiovisuel, car quelque chose n'allait pas du tout avec le projecteur.

— Allons-y! a lancé Sven.

On s'est précipités hors de la salle. Mme Talbot nous attendait sur le seuil de sa classe. Elle s'arrachait les cheveux et faisait une crise:

— Regardez votre gâchis! Ne pouvez-vous rien faire de bien? N'avez-vous pas de cervelle ou de sens commun?

On a jeté un coup d'œil dans la classe. Le projecteur était là; le film aussi, sauf qu'il reposait en mille boucles noires sur le plancher. Sven avait mis une bobine trop petite à l'arrière: le film durait une demi-heure et il avait mis une bobine pour un film de quinze minutes. Les quinze minutes passées, le film s'était tout simplement déroulé sur le plancher!

On est allés chercher M. Richard qui n'était pas particulièrement enchanté. On a mis le reste de l'avant-midi à remettre tout en ordre. Ce qui m'enrageait, c'était que ce n'était pas de ma faute et que, malgré tout, j'ai dû essuyer la moitié des reproches. Et ce minable de Sven n'a même pas ouvert la bouche. Il m'a laissée encaisser le blâme sans une seule parole, pas une!

○

Quelle journée! Je ne pensais pas que ça pouvait être pire. Je suis horriblement naïve! On a passé toute l'heure du repas à l'auditorium à tripoter les enregistreuses et à apprendre comment enregistrer la fanfare de l'école. Je me demande d'ailleurs comment ils ont le culot de se donner le titre de «fanfare». On dirait plutôt qu'ils expérimentent un nouvel instrument de torture. On a dû écouter *Ô Canada* vingt fois tandis qu'on s'affairait avec les micros, les rubans et tout. En fait, on en a entendu la première moitié vingt fois, car ils passaient leur temps à faire des erreurs et devaient recommencer depuis le début. Mais je savais que c'était *Ô Canada* parce que j'avais vu les feuilles de musique. Autrement, je pense que personne ne s'en serait douté; par la façon dont ils jouaient, ç'aurait aussi bien pu être *La Marseillaise.*

Pour le test sur les anciens Égyptiens, j'ai eu 30 %; à l'atelier d'arts plastiques, j'ai renversé plein d'eau sale sur moi. Pour clore le tout, j'ai déchiré mon jean en tentant de faire descendre Benjamin de la cage aux singes après l'école. J'avais une tonne de devoirs à faire à cause de mon absence du matin. Et puis, bien sûr, au moment du retour à la maison, le soleil qui avait brillé toute la journée s'est caché et il a commencé à pleuvoir encore. Même le temps se mettait de la partie.

Pour couronner le tout, Benjamin et moi, nous nous sommes trempés à force de traîner ce gros chien paresseux le long du trottoir. Heureusement, la pluie l'a fait avancer un peu plus vite. Il devait songer au feu dans la cheminée des demoiselles Turner.

Lorsque j'ai fini par rentrer à la maison pour enfiler des vêtements secs, je bouillais de colère. Si seulement on avait eu notre télé, j'aurais pu regarder les dessins animés, ou bien un jeu, n'importe quoi. Que faisaient donc les gens avant la télé? Ils devaient crever d'ennui. Voilà sans doute pourquoi ils mouraient si jeunes: ils devaient tellement s'embêter à rester là à se tourner les pouces. Benjamin s'est mis à crier dans la cuisine:

— Anne! Anne! au secours, je suis coincé!

J'ai couru et l'ai attrapé en train de vaciller sur le comptoir:

— Qu'est-ce que tu fais? Tu sais que tu n'as pas la permission de grimper là-haut!

Je l'ai descendu au sol et lui ai donné une forte claque sur les fesses. Il s'est mis à pleurer.

— Je voulais le beurre d'arachides. Je voulais préparer un goûter. Je voulais...

— Oh! ferme-la, cesse de brailler, petite peste! Pourquoi ne m'as-tu pas demandé de le faire?

— Parce que tu étais si fâchée! dit-il dans un hoquet.

— Je n'étais pas fâchée, hurlai-je. Cesse de hoqueter. Va mettre ta tête sous le robinet et retiens ta respiration.

J'ai saisi le pot de beurre d'arachides et je commençais à tartiner des biscuits, quand la porte a claqué. C'était Pierre qui dégoulinait et faisait des flaques d'eau sur le plancher.

— Où étais-tu? Tu n'as pas laissé de message, dis-je brusquement.

— Oui, j'en ai laissé un: là sur le frigo, débile!

Le billet était bien là et j'avais ouvert la porte du frigo deux fois.

— Alors?

— Alors quoi?

— Tu ne me demandes pas pardon?

— Pas à toi!

J'avais envie de lui envoyer un coup de pied, mais il était tellement trempé que ça ne valait pas la peine. Au lieu de ça, j'ai pris deux biscuits et je me suis enfuie au sous-sol pour m'asseoir dans le coin de la chaudière. J'ai enroulé l'édredon autour de moi et grignoté mes biscuits, tout en poussant sur mes dents. La chaudière ronronnait et grognait tout près de moi, tel un très vieux dragon.

Évidemment, Benjamin et Pierre ne pouvaient pas me laisser en paix. Comme de stupides moutons, ils sont descendus à ma suite. Pierre s'est affalé près de moi et s'est mis à taper le vieux coussin violet jusqu'à ce que les plumes remplissent l'air comme des pétales de fleurs tombant d'un pommier.

— Où étais-tu? demandai-je.

Il cessa de taper.

— Dans la rue Broadway. Tu sais, là où il y a un magasin qui vend des télés. J'ai regardé la moitié d'un match de hockey à travers la vitrine. On avait allumé un téléviseur à écran géant.

— Hé! ce n'est pas une si mauvaise idée, dis-je.

— Oui, c'est une mauvaise idée. D'abord, j'ai gelé et me suis fait tremper par la pluie. Et puis un homme est sorti et m'a dit de ficher le camp et de cesser de salir sa vitrine.

— Oh!

— Anne, dit Benjamin qui tentait de grimper sur mes genoux, on peut jouer à un jeu?

— Lequel?

— Les serpents et les échelles.

Je déteste les jeux de parchési. J'avais assez de serpents qui tournoyaient dans ma tête sans devoir, en plus, jouer à ce jeu! De plus, je suis le genre à ne jamais réussir à grimper une seule échelle dans toute sa vie.

— Oh! Benjamin, dis-je, j'aimerais mieux faire autre chose.

— Quoi?

— Je ne sais pas, répliquai-je en regardant autour de moi, à la recherche d'une idée.

Sacré Benjamin. Pourquoi ne pouvait-il pas inventer une occupation tout seul? Tout à coup, j'ai remarqué la vieille malle de l'avare, dans le coin. Je me suis levée d'un bond.

— Viens-t'en. Je sais ce qu'on va faire: on va ouvrir la malle de l'avare. On ne sait jamais, on pourrait trouver de l'argent ou bien des bijoux.

— L'agent d'immeubles a dit que c'était de la camelote, dit Pierre.

— Mais il a pu se tromper, dis-je, laissant l'excitation me gagner.

— C'est vrai. Les avares amassent de l'or et des choses précieuses, non? On pourrait s'acheter une télé, ajouta Pierre qui commençait à s'agiter.

Mais il s'arrêta de sauter pour dire:

— On a oublié: la malle est fermée à clé.

— Bien sûr qu'elle est fermée à clé, dis-je. Ça ne me dérange pas. Va chercher un marteau et un tournevis et... euh! n'importe quoi qui pourrait nous servir à l'ouvrir.

J'ai tiré la malle sous la lumière pour qu'on voie mieux. Pierre a dit, d'une voix hésitante:

— Mais ne penses-tu pas... enfin, je veux dire... elle n'est pas à nous.

— Voyons, il faut faire quelque chose, dis-je. Si maman nous enlève la télé, elle doit s'attendre à ce qu'on meure d'ennui et qu'on fasse...

— Des crimes?

— Et pourquoi pas? Ça pourrait la pousser à réfléchir à ce qu'elle fait.

— Ça, c'est juste, dit Pierre.

Et il est parti chercher les outils.

J'ai bien observé le vieux cadenas rouillé. Il venait de loin. C'était le plus épais et le plus lourd cadenas que j'avais vu. Dommage qu'on n'ait pas eu la clé. Cette idée me rappela quelque chose. Maman gardait un trousseau de vieilles clés dans un tiroir de la cuisine. Benjamin avait coutume de s'amuser avec ça quand il était bébé. Il contenait des clés pour nos malles, d'autres clés pour les portes ou pour les vélos, et tout un tas de clés qui n'ouvraient plus rien.

— Essayons les clés en premier, criai-je à Pierre. Tiroir de la cuisine.

Le trousseau en comptait au moins soixante. Mais aucune ne marchait. Pas une seule! Ce qu'il nous fallait, c'était un crochet comme ceux que les voleurs utilisent. On aurait aussi eu besoin d'un voleur pour nous montrer comment nous en servir.

— J'abandonne, dis-je, lançant le trousseau sur le plancher. Mon bras me fait mal.

— Qu'est-ce qu'on fait? demanda Pierre.

— Mmmm...

J'ai réfléchi quelques instants. Si on avait eu une barre de fer, on aurait pu forcer le couvercle. La seule difficulté, c'était qu'on n'en avait pas. Je me suis tournée vers mon frère:

— Qu'est-ce qu'on pourrait utiliser à la place d'une barre de fer?

— Un manche à balai.

— Est-ce assez solide?

— On peut essayer.

Il avait raison, on pouvait essayer. Alors j'ai couru en haut chercher le balai. On a enlevé la tête avec le marteau et j'ai saisi un bout et tenté de l'enfoncer sous le couvercle. Mais le manche à balai était trop gros.

— Essayons la gouge et enfonçons-la avec le marteau, proposa Pierre.

Je tenais la gouge et Pierre frappait. Ça marchait beaucoup mieux et bientôt, la moitié du métal de la gouge fut enfoncée sous le couvercle. Pierre s'est arrêté.

— Qu'y a-t-il?

— Je vais essayer de me ruer de tout mon poids sur le bout qui dépasse.

— Oui. Peut-être que ça va forcer le couvercle.

Il s'est mis un peu en retrait. Heureusement, parce que lorsque j'ai atteint le manche de bois de la gouge avec mes pieds, il y a eu un craquement. Le manche a cassé et je suis tombée par terre, égratignant mes coudes. La malle demeurait toujours intacte.

Après m'être pansé les coudes, on a essayé de sortir le reste de la gouge, sans succès. Pierre a caché les morceaux cassés qui restaient: avec un peu de chance, maman n'allait pas les trouver avant un bout de temps.

À la fin, c'est Benjamin qui a trouvé la solution. Il s'amusait avec le marteau de l'autre côté de la malle, pour se donner l'illusion d'être un grand, comme nous, et de participer.

— Remets le marteau dans la boîte à outils, Benjamin, dis-je. On ne veut pas le casser lui aussi.

— Je travaille, dit-il. Je vais ouvrir la malle.

— Ne fais pas l'imbécile.

Je me suis levée pour lui enlever le marteau.

— Il faut le mettre dans l'autre sens. Tu dois...

Les mots ont figé sur mes lèvres, parce qu'il avait raison. Il cognait sur les charnières à l'arrière et elles étaient très lâches. Et tout à coup, je me suis souvenue d'une expression qu'utilise grand-maman Brian: il y a plusieurs façons de dépouiller un lièvre!

J'ai saisi le marteau des mains de Benjamin et, en me servant du bout qui sert à arracher les clous, j'ai commencé à forcer les charnières. Après cinq minutes et deux autres pansements, on les avait partiellement arrachées et on a tiré tous les trois sur le couvercle.

Quelque chose l'empêchait de s'ouvrir tout à fait, mais on a réussi à l'entrouvrir assez pour pouvoir regarder à l'intérieur de la malle. J'ai poussé Benjamin:

— Sors ta tête de là, Benjamin.

— Mais je veux voir, je veux voir, cria-t-il.

— Tu vas voir dans une minute si tu te tais. Regarde, Pierre, sortons tout le contenu sur le plancher.

J'ai saisi une pile de tissu sombre et l'ai tirée au dehors.

— Ça ressemble à un vieux manteau, dit Pierre. Pas très excitant.

En effet, il semblait n'y avoir que de vieux vêtements. Mais je n'étais pas pour laisser filer l'espoir de trouver autre chose. Les poches étaient peut-être remplies d'argent ou de choses précieuses. J'avais déjà vu une émission où un voleur cachait des billets de banque dans la doublure de son veston en les y agrafant.

— Mes bras me font mal à force de tenir ce couvercle, dit Pierre. Dépêche-toi!

J'ai accéléré mes mouvements. Des manteaux, des robes, des pantalons, des sous-vêtements, des bottes — tout était vieux et sentait la boule à mites. Puis soudain, ma main heurta quelque chose de solide. Du métal! du verre!

— Hé! j'ai une assiette ou quelque chose comme ça!

C'était vraiment embêtant de ne pas arriver à ouvrir le couvercle de la malle comme il faut. J'ai saisi l'objet lisse et brillant et l'ai sorti: c'était une sorte d'écuelle métallique, ronde et peu profonde. En la voyant, on a tout de suite compris ce que c'était.

— C'est une gamelle d'orpailleur*! Le vieux a dû être chercheur d'or.

Pierre a attrapé la gamelle et s'est mis à l'agiter en rond comme s'il lavait de l'or à la batée. Notre père nous avait emmenés faire ça, une fois, dans la rivière Fraser, mais nous n'avions rien trouvé. On avait crevé de faim, parce qu'il avait oublié notre casse-croûte.

J'ai recommencé à fouiller dans la malle, curieuse de voir ce qu'il y avait d'autre. Ma main buta encore contre quelque chose de dur, quelque chose de lisse et pointu.

— Je ne sais pas ce que c'est, mais c'est lourd et...

On a entendu quelqu'un bouger à l'étage et un bruit de pas sur nos têtes. On a figé. Maman!

— Les enfants? Anne? Pierre? Benjamin? Où êtes-vous?

— Vite!

J'ai laissé tomber l'objet lourd et pointu.

— Vite, rabats le couvercle. Ne dis pas un mot de tout ça, pas avant qu'on ait terminé, sinon elle va nous en empêcher.

J'ai pris l'édredon et je l'ai lancé sur la malle et les vêtements, juste au bon moment.

---

* Gamelle d'orpailleur ou batée: récipient dans lequel les chercheurs d'or lavaient les sables aurifères pour recueillir les pépites d'or.

La porte du sous-sol s'est ouverte et maman est apparue au haut de l'escalier.

— Maman! a crié Benjamin, et il s'est élancé en haut pour lui sauter au cou comme si elle le délivrait d'une séance de torture.

— Ah! vous voilà, dit-elle. Ne m'avez-vous pas entendue appeler?

On jouait, dis-je.

Si Benjamin nous trahissait, j'allais le tuer.

— Vous jouiez! dit-elle sur un ton joyeux. Je savais bien que vous alliez vous guérir de votre manie de regarder la télévision.

Pierre et moi avons échangé un regard. Elle a ajouté:

— Je fais du spaghetti. Anne, viens donc mettre le couvert. Et Pierre, sors les ordures, s'il te plaît.

— C'est ma semaine pour mettre le couvert, dit Pierre en grimpant les marches. C'est à Anne de sortir les ordures.

— Pas du tout, dis-je. C'est ta semaine.

C'était faux, mais qui a envie de sortir les ordures quand il pleut à torrents?

Sans bruit, j'ai rangé les outils et j'ai fourré les vieux vêtements dans la malle. Puis je l'ai poussée dans un coin sombre. Il nous fallait attendre. Je déteste la patience. Mais il n'y avait pas d'autre issue.

○

Il a fallu que Benjamin boive trois verres de lait au souper et que maman constate qu'il n'y en avait plus dans le frigo. Alors on a eu droit à un sermon sur la gourmandise et les bienfaits de l'eau du robinet. On n'était pas pour lui avouer où était passé le sac de lait.

Quand elle a voulu balayer le plancher de la cuisine, elle n'a pas apprécié non plus de trouver le manche cassé. On a eu droit à un sermon pour ça aussi.

Et puis, au moment où j'allais me coucher après deux heures de devoirs ennuyeux, elle m'a demandé si je me sentais bien.

— Oui, pourquoi? demandai-je.

Elle m'a regardé bizarrement et elle a dit:

— Daniel se demande si tu ne couves pas quelque chose.

Tiens, tiens! Je me demandais ce que le brave V.C. avait dit d'autre. Il n'avait pas dû trop parler, parce que j'y aurais goûté avant ça. Elle m'a regardée encore d'une drôle de façon:

— Tu n'as pas été impolie avec lui, au moins?

— Moi? Il t'a dit que je l'avais été?

Elle a secoué la tête:

— Non. Mais il dit qu'il n'a jamais rencontré personne comme toi.

J'ai pensé à toute vitesse et j'ai rétorqué:

— Tu nous répètes tout le temps qu'on est tous différents, alors ça doit être vrai.

— Mmm...

Elle m'a embrassée. Mais je sentais que ses soupçons n'étaient pas calmés.

De l'or

Grand-maman Brian chante souvent une chanson bête à propos d'un nuage qui a une doublure en argent. Je lui ai demandé, une fois, ce que ça voulait dire et elle m'a expliqué que quand la vie devient vraiment atroce, il ne faut pas s'en faire, parce que ça ne dure pas. Eh bien! jeudi a dû être ma journée doublée d'argent!

Pour commencer, un soleil éclatant brillait dans le ciel. Et quand on s'est arrêtés au milieu de la rue, Benjamin et moi, on pouvait voir la neige fraîche sur les sommets, comme si les montagnes étaient saupoudrées de sucre à glacer.

Dès mon arrivée en classe, on m'a tout de suite envoyée installer le magnétoscope pour la maternelle. J'ai fait mon travail à la perfection et quand j'ai mis le contact, l'image était claire et nette: tous les petits marmots ont lancé des hourras et leur enseignante, Mlle Thomas, a dit que c'était rassurant d'avoir quelqu'un comme moi pour l'aider à installer ces appareils auxquels elle ne comprenait vraiment rien.

Puis, à l'heure du dîner, M. Richard devait assister à une réunion du personnel, alors on n'a pas eu de période de formation en audiovisuel et j'ai pu jouer au ballon dans le gymnase.

On peut dire que tout ça, mis ensemble, ressemblait à une bonne doublure argentée, mais après l'école, c'est devenu de l'argent solide!

Quand Benjamin et moi sommes arrivés chez les demoiselles Turner pour prendre Bouffi, elles étaient toutes retournées parce qu'elles voulaient aller rendre visite à une amie malade à Chilliwack pour la fin de semaine et qu'elles ne savaient pas quoi faire du chien. À vrai dire, je trouve qu'elles ont beaucoup d'amis malades, mais je suppose que c'est normal quand on est vieux.

— On va le garder, ai-je lancé sans réfléchir.

En fait, qu'aurais-je pu dire d'autre?

— Oh! vraiment, chérie? dit la grande demoiselle Turner en s'extasiant. Es-tu sûre que ta mère voudra?

— Elle adore les chiens, dis-je avec entrain, en sachant que c'était un mensonge.

Maman n'est pas trop entichée des chiens, en vérité. Mais ça m'a semblé être une autre bonne occasion de lui montrer ce qui pouvait advenir quand elle faisait des gestes aussi bêtes que de prêter la télé. On pouvait inciter Bouffi à japper sans arrêt pour la rendre folle.

— Si tu es sûre qu'elle n'y verra pas d'inconvénients, dirent-elles, voici sa nourriture, son lit et sa couverture.

Et elles nous ont chargés d'assez de nourriture pour un siècle, d'un panier d'osier et d'une énorme couverture écossaise. Ce chien n'était sûrement pas maltraité.

On a emporté tout le bazar à la maison et aussitôt, Benjamin et moi, on a foncé au sous-sol en poussant le gros beagle tout essoufflé devant nous. Pierre était déjà sur place et tentait de soulever le couvercle de la malle d'une main et de sortir ce qu'elle contenait de l'autre.

— Je pense que j'ai la chose pointue, me lança-t-il. Viens m'aider.

J'ai crié au chien:

— Assis, Bouffi!

Et je me suis précipitée pour aider à tenir le couvercle. Pierre a sorti un outil d'acier recourbé avec un manche de bois. Il a dit:

— C'est un pic.

Il l'a laissé tomber sur le plancher avec fracas.

— À quoi t'attendais-tu donc? demandai-je. À des lingots d'or, peut-être? Allons, regardons ce qu'il y a d'autre.

Quand la malle fut vide, on avait trouvé, à part les vêtements, la gamelle et le pic, une pile de vieux livres et un paquet enveloppé de vieux journaux jaunis et attaché avec de la ficelle. Pierre respirait dans mon visage.

— Vas-y! Vas-y, ouvre le paquet.

— Penses-tu que ce sont des diamants? demanda Benjamin qui sautait sur un pied. Hein! Anne, penses-tu?

Je n'ai pas prêté attention à lui et j'ai emporté le paquet jusqu'à notre coin près de la chaudière. Évidemment, Bouffi avait repéré la meilleure place et il dormait déjà, bien installé, comme chez lui.

— Regarde, dis-je à Pierre, ce journal est vraiment vieux. C'est écrit: *La Province*, octobre 1898. Regarde les annonces! Costumes pour hommes: 6,50 $. Chaussures pour dames: 2 $. Et quels styles!

— Vas-tu l'ouvrir ou est-ce que je vais être obligé de me dévouer? dit Pierre en saisissant le paquet. Allez, Anne, dépêche-toi!

— Veux-tu arrêter de me crier après! Je fais de mon mieux et tu ne pourrais pas aller plus vite que moi.

— Ah non?

— Non!

— Alors grouille-toi!

Il avait le visage tout rouge.

— Tu vas faire une crise cardiaque avant d'avoir fini tes études, dis-je en prenant soin de ne pas déchirer le papier qui enveloppait le paquet, car il commençait à craquer tant il était sec et fragile.

Le papier enlevé, Benjamin s'est écrié:

— Oh! c'est juste un livre, pas des diamants.

— Ce n'est pas un livre, a dit Pierre en examinant l'objet.

— C'est un album, je pense, dis-je en essuyant la couverture de cuir avec ma manche.

J'ai ouvert avec précaution. Oui, c'était un album de photos contenant des photographies de couleur sépia collées sur du papier gris.

— Que c'est ennuyeux! fit Pierre en s'éloignant.

— Non, Pierre, regarde! J'ai examiné la première page. Ça doit être l'avare, ici, tu vois?

J'ai indiqué une photo montrant un homme barbu qui tenait une gamelle d'orpailleur dans une main et un pic dans l'autre. Sous la photo, c'était écrit à l'encre noire: *En route vers le Klondike, 1898.*

— Il était chercheur d'or, dit Pierre. Fais voir les autres.

— Est-ce qu'il en a trouvé? cria Benjamin dans mon oreille.

— Je n'en sais rien, dis-je. Il est allé au Klondike.

— C'est quoi, le Klondike? demanda-t-il en soufflant dans mon cou.

— La ruée vers l'or, répondis-je en le poussant. C'était il y a très longtemps au Yukon.

— C'est quoi, le Yukon?

— Oh! Benjamin, tais-toi, dis-je en le poussant encore. Va t'asseoir avec le chien.

Doucement, j'ai tourné les pages de l'album. On voyait des groupes d'hommes barbus se tenant par la taille devant des tentes branlantes. Quelques photos étaient identifiées: *Jim et Scott Harris, Sandy Wright, Taffy et moi attendant un bateau.* Une photo montrait une rangée de maisons de bois et un trottoir en planches et c'était écrit: *Vancouver, 1900.* C'était tout.

— Je me demande s'il est devenu riche, soupira Pierre.

— S'il l'était, ça n'a pas duré bien longtemps. Le livreur d'huile à chauffage a dit qu'il n'a jamais payé ses comptes.

J'ai refermé l'album et j'ai commencé à remettre dans la malle toutes les affaires qu'on avait sorties. Quelle déception! Si au moins on avait trouvé un véritable objet de valeur! J'ai secoué un vieux pantalon noir et je l'ai roulé en boule. Soudain, j'ai touché une masse dans l'une des jambes du pantalon. Je l'ai déplié et j'ai fourré ma main dans la poche. Rien. Rien là. Mais je continuais à sentir la bosse à travers le tissu.

— Qu'est-ce qu'il y a? demanda Pierre. Qu'est-ce que tu as trouvé?

— Je ne sais pas.

Aussi vite que j'ai pu, j'ai retourné le pantalon à l'envers et là, suspendu à un galon noir qu'on avait cousu sous la poche, se balançait un minuscule sac de cuir noir.

On peut dire qu'on est devenus à moitié fous. Pierre criait, Benjamin essayait de grimper sur mes genoux et Bouffi, gagné par l'excitation générale, s'est mis à japper comme un déchaîné. Mes doigts tremblaient quand j'ai tiré la corde qui fermait le sac.

— Qu'est-ce qu'il y a dedans? Qu'est-ce que c'est? sifflait Pierre.

Je n'arrivais pas à répondre. Ma gorge était serrée, comme si je venais d'avaler un fruit amer.

J'ai ouvert la paume de ma main et j'ai renversé doucement le sac. Personne n'allait nous croire. Personne. Je ne pouvais le croire moi-même. Trois petites pépites d'or toutes rondes ont roulé dans ma main. Trois petites pépites brillantes et dorées.

— *De l'or*! a hurlé Pierre.

Benjamin tendit un doigt et toucha les petites boules.

— Du vrai or? dit-il. C'est du vrai or?

— Je pense bien.

Je soupesais les pépites dans ma main. Elles avaient l'air vraies. L'avare avait participé à la ruée vers l'or au Yukon. Ç'avait du sens.

— Combien? demanda Pierre tout à coup.

— Combien quoi?

— Combien ça vaut?

Je n'avais pas réfléchi à ça. Bien sûr! Assez pour une télé, peut-être même une télé avec un écran géant!

— Va chercher le journal d'hier, dis-je en courant vers l'escalier. On va savoir le cours de l'or.

Je savais que c'était dans la section des affaires. Grand-maman Brian, quand elle habitait avec nous, consultait les listes des valeurs mobilières et j'avais vu la cote de l'or.

— Wow! dit Pierre, soufflant fort au-dessus de mon épaule. Combien ça pèse?

On a pesé les pépites sur la balance de cuisine: un peu plus de cinquante grammes. On en avait assez pour une télé à grand écran. Ou deux avec écran standard! C'était une décision difficile à prendre.

— Les magasins ne ferment que dans une heure, dit Pierre en me tirant par le bras. Allons-y!

Il avait raison: il fallait faire vite. J'ai dit:

— Mets tes bottes et ton manteau, Benjamin, et moi, je vais chercher la laisse.

— Est-ce qu'il faut emmener le chien? s'inquiéta Pierre.

— Oui, répondis-je brusquement. Il faut qu'il sorte.

Il faisait sombre et humide dehors et on se dépêchait en tirant Bouffi pour qu'il accélère le pas. Benjamin serrait sa main très fort dans la mienne, parce qu'il a peur du noir. Le soir, maman ouvre toujours sa porte et laisse la lumière du hall allumée, sinon il s'éveille en criant. Finalement, on est arrivés chez Maynard Télévision, au coin de la rue Broadway. Un écran géant affichait des réclames lumineuses aux passants.

— Prêts? demandai-je en prenant une profonde respiration.

— Prêt, déclara Pierre avec un sourire.

On a ouvert la porte et on est entrés.

Il y avait des téléviseurs partout: des meubles de luxe, des petites télés portatives, en couleurs, en noir et blanc et même des appareils à piles, qu'on peut transporter où l'on veut! Il y en avait au moins vingt qui étaient allumés, captant différentes émissions. Ça m'étourdissait un peu de les voir tous à la fois: un peu comme des arcs-en-ciel sautillant devant mes yeux.

— Youppi! fit Pierre. C'est génial!

— Je n'entends rien des émissions, dit Benjamin, avant de courir d'un appareil à l'autre en tripotant les boutons de réglage du volume.

Un vendeur portant un costume gris rayé et une cravate fleurie s'est précipité à notre rencontre, du fond du magasin. Il a crié:

— Qu'est-ce que vous faites?

— On veut voir quel appareil est le meilleur, dis-je en élevant la voix.

Je pense qu'il ne m'entendait pas. Il a commencé à courir d'un téléviseur à l'autre pour baisser le son. Il y a eu un silence soudain. Les seuls bruits provenaient de la circulation au dehors et de Bouffi, qui respirait en sifflant. Le vendeur l'a montré du doigt:

— Pas de chiens ici.

— Pourquoi? dis-je indignée. Il ne mord pas!

— Il pourrait mouiller le tapis, ou pire encore. Sortez-le, ordonna-t-il en montrant la porte.

Quel imbécile!

— S'il se fait écraser, ce sera de votre faute, dis-je.

Dommage qu'il n'y ait pas eu d'autre magasin de téléviseurs dans les parages. Je n'avais pas envie d'acheter quoi que ce soit de *lui!* J'ai attaché Bouffi à une borne d'incendie et je suis retournée en vitesse.

Pierre et Benjamin allaient d'un téléviseur à l'autre en déclamant leur prix. Le vendeur avait l'air fâché.

— Qu'est-ce que vous voulez?

— Une télé, dis-je en le dévisageant. On a l'argent. On veut une télé, tout de suite!

— Vous avez autant d'argent sur vous? demanda-t-il.

— Bien, dis-je en haussant les épaules, ce n'est pas tout à fait de l'argent...

Il s'est gratté la tête:

— Avez-vous, oui ou non, de l'argent? Et si oui, où l'avez-vous pris, hein?

— Regardez! criai-je en sortant le sac de cuir et en laissant rouler les trois pépites dans ma main. De l'or!

— Oh! mon Dieu! fit le vendeur.

— Cinquante grammes, dit Pierre. Et c'est bien assez.

— Mais..., fit le vendeur en tâtant l'une des pépites dans ma main et en l'examinant, où avez-vous pris ça?

— Ça, c'est notre affaire, dis-je. On veut acheter une télé.

— Vous ne pouvez pas acheter une télé avec de l'or. Vous devez payer avec des dollars, des dollars canadiens.

— Pourquoi pas de l'or? demanda Pierre.

— L'or a de la valeur, mais il faut le changer en dollars, poursuivit l'homme, la mine renfrognée.

On n'avait pas pensé à ça. Il est vrai qu'on n'avait jamais eu d'or avant. J'ai dit:

— Alors allons à la banque. Les banques restent ouvertes tard ce soir.

— Une minute! dit le vendeur en m'attrapant par l'épaule. Où avez-vous pris cet or? D'ordinaire, les enfants ne se promènent pas avec de vraies pépites d'or. Vous feriez mieux de dire d'où ça vient.

— On l'a trouvé, s'est empressé de répondre Benjamin, dans une vieille malle.

— Tais-toi, Benjamin, Pierre et moi de répliquer.

— Attendez un instant! poursuivit le vendeur, encore plus renfrogné qu'avant. Je vais faire un appel.

Et il se précipita derrière le comptoir, à l'arrière du magasin. J'ai lancé:

— Vite! on sort d'ici. Il téléphone peut-être à la police.

On s'est jetés hors du magasin et on a descendu la rue. Pierre a repris Bouffi et s'est mis à le tirer par la laisse.

— Il pense qu'on les a volées, dit Pierre.

— Il faut qu'on les échange au plus vite!

Je pouvais envisager les explications qu'il faudrait donner si la police nous attrapait. Je refusais de penser que c'était un vol. La vieille malle moisissait dans notre sous-sol depuis des mois et personne ne s'en préoccupait. Mais avec les adultes, on ne sait jamais.

La banque était à deux pâtés de maisons plus loin, rue Broadway. On se dépêchait, en traînant Bouffi et Benjamin entre les flaques d'eau et en contournant les files d'attente encombrant les arrêts d'autobus.

— Cette fois, dis-je, si on nous demande d'où ça vient, on répondra que c'est un cadeau.

— De qui? demanda Pierre.

— Oh! d'une vieille tante. O.K.?

À l'intérieur de la banque, on a dû se mettre dans la file d'attente, qui avançait à pas de tortue. Les gens prennent tellement de temps dans les banques: on croirait qu'ils retirent des milliers et des milliers de dollars! Quand on a fini par arriver au guichet, j'avais mal aux jambes d'avoir été debout si longtemps et Bouffi s'était endormi par terre et refusait de s'éveiller. J'ai dû le faire glisser vers l'avant en le poussant centimètre par centimètre avec mon pied. Benjamin était bien installé debout sur une chaise près d'une table et il dessinait sur les bordereaux. Au moins, il était tranquille et nous laissait la paix.

J'ai mis les pépites sur le comptoir en disant:

— Je voudrais changer ceci en dollars, s'il vous plaît.

La caissière a cligné des yeux, puis elle a regardé les pépites d'un air ébahi. Puis dans un cri de surprise, elle s'est écriée:

— *De l'or!*

Un silence soudain s'est installé autour de nous et les gens se sont retournés pour regarder. Derrière moi, un homme a dit:

— *De l'or!* Je veux voir.

Et tout d'un coup, tous les caissiers et les clients derrière nous se sont rapprochés pour jeter un coup d'œil. Malheureusement, dans la bousculade, une dame a trébuché sur Bouffi qui dormait. En tombant, elle s'est agrippée à l'un des poteaux métalliques qui délimitent la file d'attente. Plusieurs poteaux sont tombés avec fracas, entraînant les câbles rouges qui se sont tout emmêlés. Pourquoi n'a-t-elle pas retenu son sac de beignes à la confiture en tombant? Ils étaient horriblement collants et tout le monde marchait dessus.

Bouffi n'a pas vraiment tenté de la mordre. Mais l'odeur des beignes frais tout près de son museau ne pouvait faire autrement que de l'éveiller. Et ce n'est pas sa faute si, juste au moment où la dame ramassait un beigne, il a pris une grosse bouchée. Elle n'a même pas saigné. Et puis Bouffi n'a pas la rage, malgré ce qu'elle prétendait.

Enfin, ce fut un désastre: des gens avec des chaussures barbouillées de confiture, d'autres empêtrés dans les câbles, Bouffi qui jappait et la dame qui hurlait. Pas surprenant que le directeur ait foncé hors de son bureau, en colère. Et dire que tout ce qu'on voulait, nous, c'était de l'argent pour une télé! Quand le brouhaha eut cessé, que les gens se furent nettoyés et dépêtrés et que la dame eut fini par se calmer et s'asseoir sur une chaise pour boire un verre d'eau, le directeur a insisté:

— Où avez-vous pris ça?

— Ça vient d'une de nos tantes, dis-je.

Pourquoi diable voulait-on absolument savoir d'où venaient les pépites? Cela ne regardait que nous. Le directeur prit les pépites et les examina.

— Quand?

— Quand quoi?

J'en avais assez des questions.

— Quand est-ce que votre tante vous les a données?

— Oh! dis-je en regardant Pierre désespérément.

— Il y a deux semaines, pour Noël, dit-il rapidement.

— Noël est dans trois mois, dit le directeur.

On voyait bien qu'il ne nous croyait pas. Je dis d'une voix faible:

— C'était un cadeau de Noël précoce. Écoutez, tout ce qu'on veut, c'est notre argent pour acheter une télé. On a besoin...

Tout à coup, une voix a interrompu mon explication. Maman! J'avais oublié que c'était la banque de maman.

— Qu'est-ce qui se passe? Que faites-vous ici?

Pourquoi suis-je toujours si malchanceuse?

— Madame Bernard! s'est écrié le directeur soulagé. Je veux seulement m'assurer que vos enfants sont les véritables propriétaires de cet or... si c'est de l'or, évidemment.

— De l'or? Quel or? glapit ma mère.

Encore une fois, toutes les têtes se sont tournées vers nous. Le directeur prit les pépites et les lui tendit:

— Vous voulez dire que vous n'êtes pas au courant? Il y en a probablement quarante ou cinquante grammes. Bien sûr, il va falloir faire faire une évaluation...

— *De l'or!* cria encore ma mère.

Ce mot commençait à me taper sur les nerfs.

— Anne! Pierre! Qu'est-ce que cette histoire? dit-elle en nous dévisageant. Où avez-vous pris ça?

— Hum!... commençai-je.

Je savais qu'elle n'allait pas apprécier. Comme de fait. On est sortis de la banque si vite que même le directeur en est resté bouche bée. Benjamin devait courir pour nous rattraper. Quant à Bouffi, il soufflait et haletait comme un nageur en difficulté. Benjamin jubilait en sautillant:

— J'ai écrit mon nom sur chacune des feuilles de papier sur les tables. J'ai signé des centaines de feuilles.

— Oh! Benjamin, as-tu vraiment fait ça? dit ma mère en s'arrêtant brusquement. Ah non! c'est le comble! Je vais être obligée de retourner pour m'excuser. Filez à la maison, vous trois, et allez dans vos chambres. Vous ne perdez rien pour attendre! Je suis furieuse!

Faisant demi-tour, elle s'en alla vers la banque. Benjamin était tout bouleversé. Des larmes coulaient sur ses joues:

— Je pensais que c'était bien: j'ai écrit *Benjamin B.* en belles lettres attachées. Je pensais...

— Oh! Benjamin, tais-toi, dis-je en tirant plus fort sur la laisse de Bouffi. Ça ne fait rien. C'est fini.

On est rentrés en silence, avec Benjamin qui reniflait et Bouffi qui haletait. Je n'avais ni le courage ni l'énergie de jurer. Le monde entier était contre moi. À la maison, je me suis couchée sur mon lit et j'ai pleuré.

○

Il va sans dire que ma mère n'avait pas dit son dernier mot. Après le souper, elle nous a fait asseoir pour nous gratifier d'un sermon interminable. D'abord, nous avions volé ce qui appartenait à quelqu'un d'autre. Deuxièmement: nous n'avions pas à essayer d'acheter une télé, puisque la consigne était que nous n'y avions pas droit. Troisièmement: nous avions abîmé une malle ancienne et il nous fallait payer les réparations avec notre argent de poche. Et étant la plus vieille et la plus responsable, je devais payer la majeure partie de la somme. Formidable! Je venais de perdre mon argent de poche pour six mois. Je lui ai dit qu'elle ruinait ma vie. Elle a répliqué qu'elle en avait assez de mes jérémiades. Comment pouvait-elle en avoir assez? Elle ne m'écoutait jamais de toute façon.

À la fin, elle a appelé l'agent immobilier. Il est venu et il a fait emporter la malle et l'or. C'était de l'or véritable, exactement comme on le pensait. Il a servi à payer les comptes d'huile à chauffage et les autres dettes qu'avait laissées l'avare. On n'a même pas eu droit à une récompense. C'était injuste. Ils ne l'auraient jamais trouvé, cet or. On ne respecte jamais les droits des enfants!

Nos tentatives pour acheter une télé étaient loin de rendre ma vie agréable. En plus de faire partie du groupe de moniteurs d'audiovisuel et d'être obligée de promener Bouffi, je n'avais plus d'argent pour six mois. Quand je me suis couchée ce soir-là, j'étais plutôt déprimée. Rien n'avait marché et maman n'était même pas fâchée de nous voir prendre soin du chien!

L'exploit de Bouffi

En plein milieu de la nuit, je me suis éveillée en sursaut, le cœur battant. Un museau froid et mouillé reniflait ma main. J'ai bondi en balayant mes cheveux hors de mes yeux:

— Bouffi!

Qu'est-ce qui se passait? Pourquoi Bouffi ne dormait-il pas dans son panier? Il gémissait et grattait les couvertures avec sa patte. J'ai soupiré:

— Ne me dis pas que tu as envie!

J'ai posé mes pieds par terre. Le plancher était froid. Maman baisse toujours le chauffage la nuit. Elle pense qu'elle économise l'énergie. C'est aussi pour cette raison qu'elle a vendu l'auto — alors on est obligés d'aller partout à pied. J'ai murmuré:

— Viens-t'en, chien imbécile! Allez, arrive!

J'ai ouvert la porte de devant sans bruit et je l'ai poussé dans le noir. Je suis restée là, frissonnant dans mon pyjama, tandis que lentement, il descendait les marches et traversait la cour vers un buisson. Oh! là là! c'était évident qu'il avait vraiment envie! J'espérais que ce besoin n'allait pas revenir chaque nuit!

— Reviens maintenant, sifflai-je en tenant la porte entrouverte.

Ce chien est la lenteur incarnée. On aurait pu croire qu'il serait pressé de revenir au chaud. Je le voyais se dandiner d'un pas lent vers les marches, avec ses taches blanches luisant sous le faible éclairage du lampadaire d'en face. Puis tout à coup, il s'est arrêté net; il a tourné la tête vers la grille et s'est mis à japper: un jappement strident qui ressemblait au hurlement d'un loup. Le bruit faisait écho tout autour de moi.

Ahouou! Ahouou!

Je me suis précipitée en bas de l'escalier. Il allait alerter tout le quartier! J'ai attrapé son collier et tenté de le tirer, en murmurant:

— Bouffi! arrête! Ça suffit, les hurlements!

Le poil blanc de son cou tout hérissé, il avait l'œil rivé sur quelque chose de l'autre côté de la grille! Tout en gardant une main ferme sur son collier, j'ai jeté un coup d'œil par-dessus mon épaule. Après qui jappait-il comme ça? Et tout à coup, j'ai vu, à mon tour: là, juste de l'autre côté de la rue, deux ombres éclairées par une lumière vacillante, rôdaient autour de la fameuse voiture si propre du voisin. Ils étaient presque à l'intérieur.

Ahouou! Ahouou! Bouffi continuait d'aboyer, malgré les mouvements saccadés que je lui faisais subir en tirant sur son collier. Des portes se sont ouvertes. J'ai entendu une voix crier:

— Faites taire ce chien!

En face, l'une des ombres est sortie de la voiture et s'est mise à courir sur le trottoir. L'autre a suivi. Puis une voix encore plus forte que les aboiements de Bouffi a retenti:

— Hé! qu'est-ce que vous faites? Que faites-vous à ma voiture?

Le vieux bonhomme qui passe son temps à astiquer sa voiture sortit de sa maison en courant.

— Ils étaient dans votre voiture, lançai-je, et ils avaient de la lumière.

— Des voleurs de voitures! Hé! revenez! revenez! Je vais appeler la police! dit-il en agitant son poing.

— Anne! qu'y a-t-il? Qu'est-ce que tu fais dehors? fit la voix de maman. Rentre tout de suite.

J'ai finalement bien agrippé le collier du chien et j'ai réussi à hisser Bouffi en haut des marches. J'ai dit:

— C'étaient des voleurs de voitures, maman. Bouffi les a fait fuir. Il avait envie et il a vu des individus dans la voiture de l'autre côté de la rue. Le vieux monsieur est en train d'appeler la police. Penses-tu que les policiers vont vouloir m'interroger?

On a fait rentrer le chien et on a fermé la porte. Je me suis précipitée vers la fenêtre. Je pense que la moitié des habitants de la rue étaient sortis et s'étaient massés autour de la voiture d'en face. Des lampes de poche lançaient leurs feux dansants et des formes plus ou moins éclairées semblaient flotter comme les flammes d'un feu de cheminée. C'était évident que ces gens n'avaient jamais vu un bon film de détectives: en piétinant ainsi le terrain, ils ruinaient tous les indices.

Tout à coup, un son aigu remplit l'air et on vit surgir au coin de la rue une voiture de police, avec son gyrophare rouge qui clignotait. Elle s'arrêta au bord du trottoir dans un grincement de freins; deux policiers en bondirent, tenant deux énormes chiens qui tiraient sur leur laisse.

— Ils vont faire une chasse à l'homme, m'écriai-je.

Ce n'était pas supportable de rester enfermée tandis qu'il y avait tant d'excitation dehors.

— Je sors! Il faut que je voie ça!

Ma mère m'a attrapée près de la porte en disant:

— Mets ton manteau et tes bottes. Et ne t'éloigne pas de la maison d'en face.

— D'accord, d'accord!

Quand je suis arrivée de l'autre côté de la rue, les chiens et l'un des policiers avaient déjà disparu; l'autre, debout sous le lampadaire avec le vieux monsieur, prenait des notes. Quant aux curieux, ils se préparaient à rentrer chez eux ou bien ils se tenaient par petits groupes et discutaient avec animation. J'ai vu que plusieurs, comme moi, étaient en pyjama ou en chemise de nuit sous leur manteau. Velours Côtelé était là — ça ne pouvait manquer; il parlait avec une grosse femme qui agitait sa cigarette autour d'elle comme un petit flambeau. Je me suis dirigée vers le policier et le vieux monsieur. Celui-ci, dont la moustache blanche frémissait, me donna une solide poignée de main:

— Ah! voici la demoiselle qui a tout vu! Comment te remercier? C'est toi qui as sauvé ma Violette adorée. Sans aucun doute, c'est à ton chien que reviennent les honneurs de la journée.

Je ne comprenais pas. Qui était Violette?

— Ma Bentley! Ma Bentley de 1950! Je l'ai depuis quarante ans et elle est en parfait état, en parfait état. Comment pourrais-je m'en passer? Ah! vraiment, ma jeune demoiselle, je te dois beaucoup.

Le vieux monsieur souffla bruyamment dans un grand mouchoir. Le policier dit:

— Une automobile ancienne de cette valeur aurait dû être dans un garage, Monsieur Roy.

— Elle y est, d'habitude, bien sûr. Mais j'ai dû la laisser dehors ce mois-ci, parce qu'on est en train de refaire le plancher du garage. Les voleurs l'auront remarquée...

— Est-ce qu'ils essayaient vraiment de la voler? demandai-je.

— Oh! oui! Ils avaient forcé une fenêtre et réussi à mettre le contact. Une minute de plus et c'était fait, confirma le policier. Alors comment t'appelles-tu? où habites-tu? et qu'as-tu vu?

— Je m'appelle Anne Bernard et j'habite là, dis-je en désignant la maison d'en face. Au 2987. C'est Bouffi le chien dont je prends soin, qui m'a réveillée. Je l'ai fait sortir et puis il s'est mis à aboyer et à hurler sans que je puisse le faire taire.

— As-tu vu quelle heure il était? demanda le policier.

Je n'avais même pas pensé à ça.

— Non, dis-je. Bouffi jappait et j'ai vu deux hommes dans la voiture du vieux... euh!... de M. Roy. Bouffi a fait tellement de tapage que tout le quartier s'est éveillé et des gens ont commencé à crier. Alors les types se sont sauvés.

— Par où sont-ils allés? demanda le policier qui cessa d'écrire pour me regarder.

— Par là, fis-je en lui indiquant la direction.

— Pourrais-tu décrire les deux hommes?

J'ai pensé à toute vitesse. Il faisait très sombre. Quel dommage! Je n'allais pas pouvoir consulter ces albums pleins de visages au poste de police. J'ai dit:

— Non.

— Merci pour ton assistance, fit le policier en rangeant son bloc-notes.

À ce moment, les chiens et l'autre policier arrivèrent, tous les trois passablement essoufflés et plutôt tristes. J'ai supposé qu'ils avaient perdu la trace des voleurs, car ils sont aussitôt montés dans leur voiture, avec les chiens dans le compartiment grillagé à l'arrière, et ils ont disparu.

J'ai regardé vers la maison et j'ai vu maman qui me faisait des signes dans la fenêtre. J'ai salué le vieux monsieur qui rafistolait la vitre brisée de Violette avec du carton et du ruban adhésif:

— Bonne nuit, Monsieur Roy!

— Bonne nuit, jeune fille! Oh! dit-il en levant la tête, viens me voir après l'école demain... je veux dire aujourd'hui! Tu mérites une récompense pour avoir sauvé Violette.

Ça ressemblait à une bonne nouvelle. Mais on ne sait jamais avec les personnes âgées. Ça pouvait aussi bien être de l'argent qu'un sac de bonbons, ou encore un livre sur les papillons exotiques, ou même un affreux parfum. Pas question de m'en faire accroire, mais... tout compte fait, la nuit avait été plutôt bonne!

La récompense

À 15 h, dès que j'eus réussi à tirer Benjamin de la cage aux singes et à filer à la maison, j'étais chez M. Roy, en train de frapper à la porte. Avec les grandes personnes, il ne faut pas perdre de temps. S'ils font une promesse, il vaut mieux être vite sur ses patins pour empocher son dû.

— Hé! attendez-moi! a crié Pierre qui arrivait en courant vers nous.

J'avais raconté mon histoire le matin, au déjeuner — c'était l'*histoire* de la semaine — et Bouffi avait été flatté et caressé et qualifié de bon chien à un point tel qu'il aurait dû en rougir.

— Ah! vous voilà, jeune fille! fit M. Roy. Violette est partie au garage pour se faire réparer. Pauvre vieille! Quelle aventure elle a vécue!

— Je me demandais où elle était passée, ai-je menti.

En fait, je ne m'étais même pas aperçue que la voiture n'était plus là. Il était vraiment toqué de sa bagnole.

— Entrez. Entrez tous. Je vais vous donner à boire.

M. Roy est entré et on l'a tous suivi. Sa maison brillait de propreté: tout y était à sa place. Les chaises du salon faisaient des angles droits avec le tapis, et les modèles réduits de bateaux, au-dessus de la cheminée, étaient alignés avec le même espace entre eux.

On s'est assis bien droit sur le canapé rouge et il nous a apporté du soda au gingembre. Ce n'est pas aussi bon que la racinette. Le goût de gingembre était très prononcé et Benjamin n'a même pas touché à son verre. J'ai siroté le mien jusqu'à ce qu'il n'en reste qu'un fond, puis j'ai posé mon verre sur la table. Je pensais pouvoir faire semblant d'oublier ce qui restait.

M. Roy s'est mis à nous parler du temps où il allait en mer et des endroits qu'il avait visités. C'était ennuyeux, mais comment dire: «où est cette récompense que vous m'avez promise?» Son long récit m'a paru interminable. Puis, l'air tout triste, il a soupiré:

— Oh! mon Dieu! je dois vous ennuyer avec mes histoires.

Et alors, comme de raison, je me suis sentie mal et j'ai protesté:

— Oh! non! Je vous assure!

Alors il nous a raconté autre chose et Pierre m'a frappée fort sur la cheville. Heureusement, sa petite horloge a fait *dong! dong!... dong!... dong!...* à 16 heures. J'ai sursauté :

— Oh! est-ce qu'il est 4 heures? On doit partir, parce qu'il faut sortir le chien.

Ce n'était pas un mensonge, car on avait enfermé Bouffi dans la cour, en attendant.

— Oh! ne pars pas avant d'avoir eu ta récompense pour le sauvetage de Violette, a dit M. Roy en me faisant un sourire.

Je lui ai souri en retour. Ça commençait à aller mieux.

— Je ne sais pas ce qu'aiment les jeunes demoiselles, dit-il, souriant encore, alors j'ai pensé...

Il a enfoncé sa main dans sa poche et en a sorti un billet de cinq dollars.

— Hé! merci beaucoup, dis-je rapidement. Ce sera très utile.

— Oui, nous ramassons de l'argent pour acheter une télé, a dit Benjamin. Et ça prend du temps.

Encore une fois, Benjamin ne pouvait s'empêcher de raconter notre vie. M. Roy nous a regardés et a demandé:

— N'avez-vous donc pas de téléviseur?

— Non, dit Pierre. C'est pour ça qu'on économise.

C'était un peu effronté de la part de Pierre, mais M. Roy ne semblait pas s'en formaliser.

— Bien, bien... je me demande, dit M. Roy en se grattant la tête... Combien d'argent avez-vous ramassé?

— Pas beaucoup, dis-je en poussant furtivement Benjamin vers la porte. À peu près sept dollars avec l'argent de la récompense.

M. Roy se gratta encore la tête.

— Je me demande, commença-t-il, hum!... si... enfin, bon... J'ai une vieille télé dans la cave. Je ne m'en sers plus depuis que j'ai la neuve. Elle marche encore. Je me demande...

D'un seul coup, j'ai cessé de respirer. Est-ce que... est-ce qu'il allait...?

Eh oui!

— Vous pouvez l'avoir si vous la voulez, si elle peut vous être utile.

Si on la voulait? Si elle pouvait nous être utile? On a failli étouffer le vieux monsieur en l'embrassant.

— Bien, bien! répétait-il.

Il était évident qu'il était content qu'on soit contents.

On s'est précipités au sous-sol, sauf M. Roy qui marchait le plus vite qu'il pouvait. Dans un coin, tout poussiéreux et abandonné, trônait un vieux meuble brun foncé avec un tout petit écran. La télé n'était pas en couleurs et l'écran n'était pas très grand, mais je n'étais pas pour prendre le cheval donné par la bride, enfin... vous connaissez le proverbe qu'on cite dans ces cas-là. J'ai dit:

— Merci beaucoup, c'est fantastique!

M. Roy s'affaira autour du meuble; il l'épousseta et fit reluire la vitre. Puis il s'en alla dans un coin et revint avec deux tiges plantées dans un objet rond qu'il posa sur le téléviseur.

— Ceci est une antenne: on appelle ça des «oreilles de lapin», dit-il en se baissant pour brancher le fil, ce qui fit craquer ses genoux.

Un silence s'installa tandis qu'on attendait en retenant notre respiration. Allait-elle marcher? Si le fait d'avoir traîné dans la cave toutes ces années avait fait prendre à la télé un coup d'humidité ou quelque chose du genre? Mais bientôt, un petit point lumineux fit son apparition au milieu du mini-écran et pouf! *Les super héros* étaient là!

Pierre se mit à faire une danse à claquettes autour du sous-sol et Benjamin lança d'une voix forte:

— Qu'est-ce que maman va dire?

M. Roy l'a regardé et a dit:

— Oh! Seigneur! peut-être... si votre mère...

— Non! non! dis-je rapidement, maman ne sera pas contre; elle ne dira rien du tout.

Ça, c'était la pure vérité, parce que j'allais m'arranger pour qu'elle ne voie pas le téléviseur et qu'elle n'en entende pas parler, tout en étant prête à étrangler Benjamin — ce qui m'apporterait une énorme satisfaction!

— Si vous êtes certains, émit M. Roy.

Nous l'étions. Et Benjamin aussi, surtout quand il m'a vue le menacer du poing.

M. Roy nous a prêté une brouette et on a déposé la télé dedans, avec précaution, enveloppée dans deux couvertures. On l'a poussée doucement dans l'allée de béton qui longe sa maison, on a traversé la rue et passé notre grille, puis on s'est arrêtés.

— Où est-ce qu'on va la mettre? a demandé Pierre.

On avait un sérieux problème à résoudre. J'ai bien réfléchi.

— Si on la met dans le salon et qu'on la raccorde au câble, comme on le voudrait, maman va la voir aussitôt la porte ouverte et la télé va reprendre le bord de chez M. Roy avant même qu'elle n'ait fini de s'essuyer les pieds.

— Tu ne penses pas qu'elle nous laisserait la garder? demanda Pierre, tout confiant. Après tout, tu l'as gagnée en sauvant la voiture.

— Tu crois que oui?

— Non.

— Moi non plus, alors oublions ça. Non. Il n'y a qu'une solution.

— Et c'est quoi? demanda Pierre avec le même regard confiant.

— On la met au sous-sol, dans notre coin. On se sert des oreilles de lapin et on la cache avec une boîte ou quelque chose d'autre quand maman est à la maison. De toute façon, elle ne descend pas souvent et elle n'est jamais venue jusqu'à notre coin. Jamais.

— Mais on n'aura qu'un seul canal!

— C'est mieux que rien.

— Et on ne pourra la regarder que lorsqu'elle ne sera pas là!

— C'est mieux que rien.

On aurait dit un disque coincé.

— Et Benjamin? Il va sûrement vendre la mèche.

Pierre avait raison. C'était le point faible de notre plan. À force de menacer Benjamin de le battre, ce discours ne faisait plus effet. Où était-il donc passé, d'ailleurs? Pourquoi ne pouvait-il pas rester en place une seule minute? J'ai hurlé:

— Benjamin! viens ici!

— Je suis avec Bouffi, cria Benjamin de l'arrière de la maison. Je lui sers à boire, mais ça renverse!

— Oh! non! Arrête!

J'ai couru vers l'arrière de la maison et j'ai trouvé Benjamin tenant un seau plein d'eau d'une main et se cramponnant à la rampe de la cave de l'autre.

— Qu'est-ce que tu fais? Tu es tout trempé!

— Bouffi a soif!

J'ai regardé autour. Où était le chien? Il était dans l'herbe, dormant du sommeil du juste dans le dernier rayon de soleil.

— Ah! on peut dire qu'il a vraiment l'air assoiffé!

— Bien, je te jure qu'il avait soif, dit Benjamin en s'essuyant le nez avec sa main sale et en reniflant.

— Bon, qu'est-ce que tu as, encore? Qu'est-ce qui t'arrive?

Benjamin pleurait presque.

— Vous ne me laissez jamais aider. Vous me dites toujours de me taire. Vous êtes toujours fâchés contre moi. Vous ne me laissez jamais rien faire. Vous ne me dites jamais rien.

— Hum! soupirai-je en me sentant un peu coupable.

Mais si on ne faisait pas attention, on allait tout rater. Si la menace ne réussissait pas à garder Benjamin muet, peut-être la douceur allait-elle être efficace. J'ai pris le seau et je lui ai tenu la main en disant:

— Allez, viens, on va te laisser nous aider. Tu vas nous donner un coup de main pour pousser la brouette.

Et Benjamin nous a aidés. Il nous a aidés à descendre la télé dans la cave. Il nous a aidés à la brancher. Il nous a aidés à installer les oreilles de lapin et à les visser en place. Il nous a aidés à mettre le contact et il nous a aidés à choisir l'émission. C'était facile, vu qu'il n'y avait qu'un seul canal, qui diffusait un bulletin d'information. Quel ennui! C'était la première fois depuis sept jours qu'on pouvait regarder la télé et on tombait sur ça!

Alors Benjamin nous a aidés encore. Il m'a aidée à sortir le chien dehors. Cette aide dévorante commençait à me rendre folle. Mais il fallait ménager son humeur. Tout en marchant, je me suis mise à lui dire combien il était devenu grand et que j'étais sûre qu'il pouvait garder un secret. Je lui ai dit aussi que s'il disait un seul petit mot à propos de la télé à maman, elle allait nous l'enlever.

Je n'ai fait aucune mention d'une fessée. Quand j'ai eu fini, on avait franchi deux pâtés de maison. Incroyable! Bouffi était toujours debout. À ce rythme, on allait pouvoir se rendre jusqu'à la plage avant l'Hallowe'en! J'avais envie d'essayer tout de suite, mais des nuages noirs s'étiraient au-dessus des montagnes, alors on a fait demi-tour et on est rentrés en vitesse à la maison, avec Bouffi qui soufflait et haletait derrière nous.

Les choses allaient mieux chez nous. Pierre regardait une émission sur les castors. Une fois installée sur la courtepointe, avec Bouffi dans le dos pour me servir de coussin chauffant, près de la chaudière qui ronronnait, je me suis sentie redevenir moi-même.

Aussitôt que maman a ouvert la porte, on a éteint la télé et on l'a recouverte avec une vieille tenture. On était des as du camouflage!

— Maintenant, rappelle-toi, dis-je à Benjamin en montant l'escalier: un seul mot, et elle nous l'enlève!

Il fit un signe de tête affirmatif et tint ma main bien fort:

— Je ne dirai pas un seul mot.

J'aurais dû écouter plus attentivement ses paroles, mais j'ai vu que maman n'était pas toute seule. Velours Côtelé était avec elle, assis bien à son aise dans la chaise berçante et riant à perdre haleine d'une blague qu'il venait de raconter. Ma mère nous a informés:

— Daniel reste à souper.

— Oh! dis-je en le dévisageant.

En retour, il me sourit tout en faisant semblant de se protéger le visage avec ses mains. Très drôle!

— Comment va la championne de saut? blagua-t-il.

— Que veux-tu dire? demanda maman.

— C'est une farce, dis-je vite, en pensant qu'avec Benjamin et V.C., la soirée s'annonçait plutôt énervante.

Le repas fut prêt rapidement, car maman avait acheté du poulet rôti et de la salade de pommes de terre à la charcuterie. Bientôt, nous étions tous assis autour de la table, moi sur le vieux tabouret branlant, parce qu'il n'y avait que quatre chaises. C'est à ce moment que le grabuge a commencé.

— Veux-tu de la salade de pommes de terre, Benjamin? a demandé maman, la cuiller en main.

Pas de réponse. Benjamin regardait son assiette. Maman était perplexe.

— Benjamin, m'entends-tu?

Silence. Benjamin fixait son assiette comme si elle était sa seule amie au monde.

— Benjamin, réponds! fit la voix plus forte de maman.

Toujours pas de réponse. C'est à ce moment que j'ai commencé à comprendre. J'aurais dû écouter plus attentivement ce qu'il avait dit: «je ne dirai pas un seul mot». Il faisait le muet. Il avait tellement peur de révéler le secret qu'il ne parlait pas. Le problème, c'était qu'une épouvantable chicane se préparait.

— Benjamin! dit maman en se levant de sa chaise et en allant vers lui. Chéri, es-tu malade? demanda-t-elle en mettant son bras autour de ses épaules. Qu'est-ce qu'il y a? Dis-le à maman.

Il fallait que je fasse quelque chose. Un peu plus et il allait tout dire.

— Oh! mam... on joue à un jeu, balbutiai-je. Benjamin est un petit garçon muet, alors il ne dit rien. N'est-ce pas, Benjamin?

Benjamin leva les yeux vers moi en faisant un sourire plutôt indécis. Je m'adressai à lui:

— Tu peux faire oui et non avec la tête. Veux-tu de la salade de pommes de terre?

Il fit un oui très énergique et maman se rassit et soupira, mais en dirigeant un regard plutôt inquisiteur vers moi:

— Ces jeux d'imagination que vous avez inventés depuis qu'on n'a plus de télé sont vraiment réalistes.

Pierre a tenté de faire une diversion. Il se tourna vers V.C. et lui demanda, en mâchouillant sa cuisse de poulet:

— Avez-vous vu les voleurs, hier soir?

V.C. me sourit. Il était vraiment passé maître dans l'art de sourire.

— Non. Quand je suis arrivé, tout était fini. J'ai su cependant qu'Anne et Bouffi étaient les héros de la soirée. M. Roy claironnait qu'il restait encore en ce monde quelques adolescents pleins de droiture. Tu lui as redonné espoir, Anne.

— Hum! dis-je, tout ce remue-ménage pour un vieux bazou qui tombe en ruine.

Mais je ménageai les sarcasmes. Après tout, M. Roy avait été très correct avec nous.

— À propos, s'informa maman, qu'est-ce que M. Roy t'a offert en récompense?

Silence. Pierre s'est étouffé avec sa cuisse de poulet et je sentais Benjamin se tordre comme un serpent sur sa chaise près de moi.

— Euh!... pardon, maman, je n'ai pas entendu ta question.

— Anne, tu as très bien compris. Quel est ce mystère? À quoi jouez-vous donc?

— Il n'y a pas de mystère, dis-je en faisant galoper mes méninges.

Que pouvais-je répondre? Et puis je me suis souvenue! Le billet! Les cinq dollars! Je ne les avais jamais rendus! J'ai plongé ma main dans ma poche et j'ai sorti le billet tout froissé.

— Il m'a donné cinq dollars! Regardez! dis-je en agitant le billet autour de la table.

Ouf! on était sauvés.

Pierre a cessé de s'étouffer, il m'a souri, puis il s'est mis à hoqueter. Benjamin a échappé son poulet sur le plancher. Évidemment, Bouffi, qui était sous la table et qui n'attendait qu'une telle chance, l'avala d'une seule bouchée. Et maman était tellement occupée à taper Pierre dans le dos et à gronder le chien que notre conversation s'est arrêtée là. L'orage était passé. Mais je n'arrivais pas à décider si je devais garder les cinq dollars ou les rendre à M. Roy. Il n'en avait pas parlé, mais je me sentais un peu gloutonne. Ce n'est pas reposant d'avoir des sentiments de ce genre : on se sent très mal. J'ai décidé de dormir dessus.

Après le repas, maman a cru que ce serait une bonne idée de jouer à un jeu qu'elle avait acheté et qui s'appelait *Klondike*: un jeu de ruée vers l'or. Il fallait jouer jusqu'à ce que sa mine n'ait plus d'or, tout comme ça s'est passé pour de vrai. Je trouvais qu'elle avait du culot de faire mention du mot or après ce qui s'était passé avec les pépites de l'avare. Je n'arrivais pas à me concentrer sur le jeu. Je ne pouvais m'empêcher de penser à la télé en bas, alors que nous étions assis en haut à perdre notre temps en lançant des dés. J'avais jeté un coup d'œil sur l'horaire de télé dans le journal du soir et je savais qu'on ratait une émission spéciale de science-fiction. J'avais affreusement envie de crier à tue-tête et de renverser le jeu sur le sol.

On a fini par finir. J'ai perdu, bien sûr, et V.C. a gagné. Benjamin, qui ne parlait toujours pas, s'est mis à pleurer et maman est allée le coucher. Je rôdais autour d'eux tandis qu'elle le mettait au lit, au cas où il aurait succombé soudainement et se serait mis à tout lui raconter. J'étais plutôt épuisée, moi-même. Se tenir aux aguets constamment mine toutes les énergies.

Puis, ce fut le bonheur! Maman est sortie de la chambre de Benjamin et a demandé si elle et Daniel pouvaient aller à l'école écouter de la musique folklorique. Est-ce que c'était d'accord? Notre seul problème, c'était de cacher notre joie de les voir quitter la maison. Si ma mère s'était doutée de quelque chose, elle ne serait jamais sortie. J'ai lancé un regard réprobateur à Pierre qui faisait presque une danse de guerre tant il était enchanté de les voir enfiler leur manteau.

— On va être partis environ une heure seulement, précisa maman en nous embrassant. Couchez-vous à 9 heures et demie.

— Oui, maman, avons-nous dit en même temps.

Neuf heures et demie? Ça, c'est un autre défaut de ma mère: elle veut toujours que j'aille me coucher juste après le souper. À dix-huit ans, elle me recommandera probablement encore d'aller me coucher à 9 heures et demie!

Aussitôt que la grille fut refermée, on s'est rués vers le sous-sol, mais silencieusement, pour ne pas réveiller Benjamin. Il était encore temps de regarder l'émission de science-fiction!

En flagrant délit

Pour éviter d'éveiller des soupçons, Pierre et moi avions convenu que l'un de nous devrait aller faire les commissions avec maman le samedi matin. Ainsi, celui ou celle qui accompagnerait maman pourrait prendre un peu d'avance sur le chemin du retour, pour avertir les deux autres d'éteindre le téléviseur. Si on avait empêché Benjamin de regarder les dessins animés, il aurait fait une crise, alors il nous fallait tirer à pile ou face, Pierre et moi. Et j'ai perdu, évidemment!

À 9 heures et demie, le samedi matin, j'étais donc prête, avec Bouffi en laisse, et j'attendais maman. Elle était si enchantée de ma compagnie que j'ai recommencé à me sentir coupable. En fait, ce dont j'avais le plus envie, c'était de m'asseoir avec Pierre et Benjamin dans le sous-sol et de regarder les dessins animés. La seule chose qui me sauve en ce monde, c'est que personne ne peut lire dans mes pensées. Si on pouvait le faire, je serais foutue en moins de deux! Je frissonne rien qu'à y penser!

La voiture de M. Roy était revenue du garage et il l'astiquait, comme d'habitude. Je me suis hâtée de diriger maman vers le coin de la rue, car je voulais éviter qu'elle se mette à lui parler. Et puis j'avais toujours le billet de cinq dollars dans ma poche et ça m'embêtait. Je déteste me sentir coupable.

On a commencé par la boulangerie et maman a acheté une baguette qui sortait du four. L'odeur dans cette boutique transforme mon estomac en un paquet de nœuds. Le boulanger, qui est chauve comme un œuf et qui parle à peine notre langue, m'a donné un beigne à la gelée couvert de sucre. Mmmm! À l'épicerie grecque, on a acheté du fromage feta et des olives *Kalamata*. Mais quand on a pris des darnes de saumon chez le poissonnier et des petits gâteaux chez le pâtissier, des soupçons m'ont envahie!

— Maman, demandai-je en détachant Bouffi de son cinquième poteau, qui vient souper? On dirait que tu prépares un repas spécial.

Sans me regarder, elle est entrée chez le marchand de légumes japonais et s'est mise à tâter les tomates.

— Karl vient manger. Vous avez dit qu'il vous plaisait, alors j'ai pensé l'inviter.

— Oh!

Que pouvais-je dire d'autre? Une montagne de pensées se bousculaient dans ma tête. Grand-maman Brian répète souvent: «nos mensonges finissent toujours par nous retomber sur le nez», et elle a bien raison — les miens, en tout cas venaient de le faire. Faire croire à maman qu'on aimait bien Karl, pour qu'il vienne souvent à la maison et qu'il lui fasse changer d'avis à propos de la télé, avait été une idée stupide dès le départ. Et là, on était pris avec lui, cet affreux spécimen de... Mon visage rougissait au seul souvenir du surnom dont il m'avait affublée: Annie-Grandes-Dents!

Puis j'ai pensé à autre chose. J'ai saisi le bras de maman en demandant:

— Pourquoi tous ces hommes pour souper?

— Rien que deux, Anne, répondit-elle en rougissant un peu.

— Et pourquoi un festin pour Karl et pas pour V.C? demandai-je en la regardant attentivement.

Je n'aimais pas particulièrement V.C., mais il n'avait pas parlé de ses deux «douches». Et je savais qu'il ne me surnommerait jamais «Annie-Grandes-Dents».

Elle prenait son temps pour choisir les choux-fleurs, comme si elle avait essayé de penser à sa réponse. Elle dit:

— J'aimerais bien que tu appelles Daniel par son nom. Pourquoi l'appelles-tu V.C.?

Je n'allais certainement pas le lui dire. Alors j'ai répliqué:

— Maman, tu ne m'as pas répondu.

— Bien, Daniel est un ami et Karl..., dit-elle.

— N'en est pas un?

— Vous avez dit que vous l'aimiez. J'ai pensé que vous n'aviez pas de père et... c'est important pour vous de côtoyer des hommes qui vous sont sympathiques, dit-elle en tripotant un chou-fleur.

Un barrage qui s'ouvre, voilà comment je me sentais. Tout à coup, les mots ont jailli de ma bouche:

— Des hommes sympathiques! Maman, on n'aime pas Karl. On le *déteste!* Il fume et il t'appelle Suzie et il est grossier et il dit des choses horribles; on a dit qu'on l'aimait seulement parce qu'il adore regarder les sports à la télé et on pensait... on pensait...

Je me suis arrêtée. Elle me regardait d'un drôle d'air. Puis elle a donné un genre de coup de poing au chou-fleur et elle l'a lancé en l'air.

— Je ne l'aime pas, moi non plus, avoua-t-elle en le rattrapant.

— Toi non plus? demandai-je en la dévisageant.

— Non. Hé! attrape!

Et elle m'a lancé le chou-fleur. Tout à coup, on a été prises d'un fou rire irrésistible. J'ai dû me tenir au comptoir tant mon ventre faiblissait. Le vendeur a lancé, en souriant un peu:

— Je vous en prie, ne jouez pas avec les légumes.

Tout le long du chemin du retour, nous avons ri et blagué, en traînant Bouffi péniblement par la laisse. Je me sentais tellement de bonne humeur et si bien avec maman que j'ai oublié combien je l'avais haïe. J'avais même presque envie de lui parler de la télévision pour que tout soit clair et net entre nous. Mais en me rapprochant du coin de la rue, je me suis souvenue que je devais courir avertir Pierre de notre retour; alors c'est ce que j'ai fait.

Je ne sais pas ce que maman a raconté à Karl quand elle lui a téléphoné, mais il n'est pas venu souper et on a eu le saumon et les pâtisseries pour nous seuls.

Le dimanche soir, les demoiselles Turner sont rentrées; elles ont repris Bouffi, sa couverture, son panier et les boîtes de nourriture qui restaient. J'étais triste de le voir nous quitter. On s'habitue même à un chien comme Bouffi; il faut dire qu'il faisait un coussin épatant quand on regardait la télé. Toutefois, on ne l'avait pas beaucoup regardée pendant la fin de semaine. C'était vraiment casse-pieds de devoir être si prudent et surveiller les moindres paroles de Benjamin. Je lui avais fait un sermon sur son personnage muet et il avait recommencé à parler. En fait, j'étais bien heureuse de voir arriver le lundi matin.

Sans doute étais-je même trop contente ce lundi, car j'ai oublié de ne pas sourire en classe. Et c'est ainsi qu'en quittant la classe à midi, Joseph Kasinski et Hugo Normand ont commencé à faire des bruits de mastication.

— Comment sont les carottes aujourd'hui? a commencé Joseph.

— Allons, dents de lapin, montre-nous comment tu sautes.

Hugo s'est mis à faire des bonds de lapin à travers le corridor.

Je me sentais tout à l'envers. Voilà: ça recommençait. J'avais pourtant essayé de ne plus m'en faire, mais je ne m'en fichais pas. Pas du tout. J'ai senti des larmes de rage commencer à couler le long de mes joues. Et, pour comble de malheur, j'ai réalisé que j'avais oublié mon lunch à la maison et qu'il me fallait aller le chercher.

J'étais debout dans la cuisine, avec mon casse-croûte à la main, quand j'ai eu cette idée fantastique. Pourquoi retourner manger à l'école? Pourquoi ne pas le faire en regardant la télé? Je devais assister à une réunion des moniteurs d'audiovisuel pour établir les horaires, mais tant pis!

J'ai mangé mon sandwich en regardant *Les tannants*. Puis il y a eu un bulletin d'information suivi d'un roman-savon et puis un jeu, et avant que je ne le réalise, il était 3 heures! J'avais manqué tout un après-midi d'école! Il fallait que je file chercher Benjamin à la sortie.

Le lendemain, j'avais la trouille que quelqu'un mentionne que j'avais manqué la réunion des moniteurs d'audiovisuel et les cours de l'après-midi, mais personne ne l'a fait. Alors j'ai répété mon escapade. J'ai quitté l'école discrètement à midi, j'ai regardé la télé et à 3 heures, j'ai couru récupérer Benjamin.

Il semblait bien qu'il me suffisait de signaler ma présence le matin et j'étais sauve. Alors le mercredi, juste après l'appel, au moment où toute la classe se dirigeait vers l'atelier d'arts plastiques, j'ai pris la direction opposée, je suis sortie par la porte latérale et... j'ai filé à la maison! C'était tellement fantastique de pouvoir agir à ma guise que les remords n'avaient pas la moindre prise sur moi.

Je me suis aperçue qu'en tournant les oreilles de lapin dans une certaine direction, je pouvais capter une chaîne américaine, ce qui me donnait un plus grand choix. On y présentait beaucoup plus de jeux et de vieux films. L'image n'était pas très claire et il y avait un peu d'interférence, mais je m'y suis habituée. Avant d'aller chercher Benjamin, ce mercredi, j'ai réussi à voir six jeux et trois vieux films, en plus de toutes les publicités, évidemment. En sortant, je pouvais entendre Bouffi qui jappait chez les voisines. Accaparés comme on l'était par la télé, on ne l'avait pas sorti depuis dimanche. Je m'ennuyais un peu de lui.

Le jeudi, ce fut plus difficile. Juste après l'appel, on avait un cours de mathématiques avec M. Richard: il m'était donc impossible de partir comme ça. Alors je suis allée le trouver au tableau, pendant qu'il écrivait des exercices sur les décimales, et j'ai demandé la permission de sortir. Il m'a dit «oui» sans même se retourner. Je suis donc sortie, j'ai traversé en courant le hall désert et je suis sortie.

C'était formidable d'être dehors, même sous la pluie. J'ai respiré l'air frais à pleins poumons et pataugé dans chaque flaque d'eau sur le chemin de la maison.

J'étais bien dans la cave, sur la vieille courtepointe, avec la chaudière qui ronronnait. Mais j'étais à peine installée pour regarder un vieux film comique que le téléphone s'est mis à sonner et à sonner au rez-de-chaussée. Bien sûr, il n'était pas question pour moi de répondre, mais j'espérais qu'il cesse de sonner. C'était plutôt énervant de l'entendre. Et juste au moment où je me disais que j'allais répondre avant de devenir folle, il s'est arrêté. J'ai soupiré de soulagement et me suis appuyée sur le vieux coussin violet.

C'était un film drôle, très drôle, à propos d'une voiture ancienne, comme celle de M. Roy, et d'un couple qui participait à un rallye.

Soudain, on a frappé à la porte de devant et la sonnette a retenti, forte et stridente! Mon cœur a commencé à battre la chamade. Qui était-ce? Que devais-je faire? Avait-on entendu la télé? J'avais mis le son très bas, mais si quelqu'un écoutait...

En deux temps, trois mouvements, j'ai éteint l'appareil et je me suis cachée de la vue des fenêtres en m'accroupissant sous l'escalier. Juste à temps! J'ai entendu des pas sur le gravier, des pas qui remontaient l'allée, lentement. L'inconnu s'est arrêté devant une fenêtre. J'ai retenu mon souffle. Le silence dura un long moment. Puis les pas ont repris en s'éloignant vers la grille d'entrée.

Aussitôt que la grille se fut refermée, je grimpai l'escalier. Couchée sur le plancher, je rampai jusqu'à la porte de devant et regardai par la fente de la boîte aux lettres. Et je vis M. Vincelli, le directeur de l'école, qui prenait place dans une voiture devant notre grille! Mon sang ne fit qu'un tour: on avait remarqué mon absence! M. Richard avait dû le prévenir. Vous vous rendez compte? Le directeur de l'école était venu jusque chez nous! Je ne pensais pas qu'ils s'inquiéteraient. Qu'est-ce qu'ils allaient faire ensuite? Appeler la police? Il ne me restait qu'une seule chose à faire: retourner à l'école le plus vite possible!

Je n'ai même pas pris le temps de mettre mon manteau. J'ai filé à toute allure sur le trottoir, à en perdre haleine. Ma tête était pleine d'idées toutes mélangées. Où aller?

Que faire? Quoi dire? À bout de souffle et pantelante, je suis arrivée dans la cour de l'école et je me suis dirigée vers l'entrée du sous-sol. Peut-être pouvais-je me cacher dans la toilette des filles et dire que j'avais été malade. J'ai poussé la porte et j'ai figé sur place! M. Richard et M. Vincelli, encore avec son imperméable trempé et son col relevé, étaient debout juste en face de moi. Et ils me regardaient droit dans les yeux!

Il y en a qui font l'école buissonnière pendant des semaines et ne se font jamais prendre. J'aurais dû savoir qu'avec la guigne qui me colle aux talons, ça ne marcherait pas. J'ai passé le reste de la matinée assise dans le bureau, à fixer les murs du regard et à écouter le clac! clac! clac! de la machine à écrire de la secrétaire.

— Pourquoi t'es-tu sauvée? me demandait sans cesse M. Vincelli.

Je n'étais pas pour répondre à cette question, alors j'ai hoché la tête et j'ai fait l'idiote. Puis j'ai eu droit à un long sermon sur les inquiétudes que j'avais provoquées: comment M. Richard avait cru que j'étais malade en voyant que je ne revenais pas en classe, comment on avait organisé une battue dans l'école et comment lui, M. Vincelli, m'avait cherchée en voiture dans les rues avoisinantes. Ça, je le savais déjà. Finalement, j'en avais tellement marre que je me suis écriée:

— Je me demande pourquoi vous vous êtes donné toute cette peine!

Il m'a regardée et m'a raconté qu'il avait téléphoné au numéro que ma mère avait laissé au secrétariat et qu'on l'avait fait sortir de sa salle de cours. Elle s'en venait. J'avais besoin de préparer plusieurs gros mensonges pour me sortir de ce pétrin-là.

Dès l'instant où elle ouvrit la porte du bureau, j'ai compris que ma mère était bouleversée. D'abord, son manteau était boutonné tout de travers et son visage était rouge et en nage. Elle m'a prise et m'a serrée contre son imperméable tout mouillé en disant:

— Ça va?

Je me suis dégagée et j'ai répondu:

— Ça va.

— Alors qu'est-ce qui se passe? Qu'est-ce qui est arrivé? Où es-tu allée?

— Juste aux alentours, murmurai-je. J'avais besoin d'air.

-- Te sentais-tu malade? demanda-t-elle en me dévisageant et en posant sa main sur mon front pour voir s'il était chaud. Tu as peut-être de la fièvre? Ton front est un peu chaud.

— Oui, dis-je en me tenant au dossier de la chaise comme si j'avais été étourdie. J'ai très chaud. Il fait chaud ici. Je voulais seulement prendre un peu d'air frais.

— La grippe, dit M. Vincelli qui semblait soulagé d'avoir trouvé une explication. Elle doit couver une grippe. Ça court dans l'école.

Maman fronça les sourcils en disant:

— Je ferais mieux de la mettre au lit.

— Oui, dis-je faiblement; c'est ce que je veux.

M. Vincelli sourit et dit:

— Tout est bien qui finit bien. N'en parlons plus. Mais à l'avenir, avertis toujours l'enseignant avant de partir. Nos élèves nous tiennent à cœur, tu sais.

Je lui ai fait un petit sourire et je suis sortie en titubant du bureau, au moment où la cloche sonnait pour le repas. Il était midi.

C'était agréable d'être au lit avec un plateau sur les genoux. J'ai même eu droit à du *Seven-Up* que maman garde spécialement pour nous quand on est malades. Après le lunch, elle a pris ma température, qui était normale.

— Tu n'as pas l'air trop malade, Anne. Ce n'est peut-être qu'un gros rhume, dit-elle en secouant le thermomètre pour faire redescendre le mercure. Penses-tu que ça va aller pendant que je vais assister à mon cours de l'après-midi? Je vais aller chercher Benjamin moi-même.

— Je pense que oui, maman, dis-je en essayant de ne pas laisser voir mon enthousiasme. Je vais rester dans mon lit et dormir.

— Bon, si tu es sûre... parce que je pourrais rester...

— Non. Ça va aller. Vraiment. Je me sens déjà mieux dans mon lit.

Elle s'est penchée pour m'embrasser et a dit:

— On se verra tout à l'heure, alors.

J'ai attendu que la grille se referme et j'ai compté jusqu'à cent vingt, très lentement, pour être tout à fait sûre. Puis j'ai poussé les couvertures, empoigné ma robe de chambre et la bouteille de *Seven-Up* et me suis précipitée dans le sous-sol. J'avais deux belles heures devant moi et je n'avais pas l'intention de les gaspiller. Et avec un peu de chance, j'allais peut-être avoir congé le vendredi aussi!

○

Ma grand-mère Brian possède un vieux disque où l'on chante: *Je passe mon temps à faire des bulles.* Ça me fait pleurer de l'entendre: ça raconte l'histoire d'une personne qui fait voler des bulles de savon dans le ciel. *Elles flottent si haut dans le ciel; puis, comme mes rêves, elles éclatent et elles meurent.* Ces paroles me rendent vraiment très triste, car elles sont si vraies. Voilà ce qui arrive toujours à mes rêves: pop! pop!

Peut-être que c'était ma faute parce que j'avais mis le son trop haut. Mais comment pouvais-je savoir que maman oublierait son sac à main et reviendrait de l'arrêt d'autobus pour le chercher? Elle aurait pu me faire faire une crise cardiaque! Moi, j'étais là en train de me payer une reprise de *Ma sorcière bien-aimée*, en me régalant de *Seven-Up*, quand soudain j'ai eu un frisson dans le dos. Je me suis retournée et elle était là, qui me regardait du haut de l'escalier!

Un jour, j'ai vu une émission où un dragon transformait tous ceux qu'il regardait en pierre. C'est exactement comme ça que je me sentais. Je me sentais paralysée — presque comme si..., comme si j'avais été une statue figée pour toujours. Finalement, elle a dit, d'une voix glacée comme l'acier:

— Où l'as-tu prise?

— M. Roy, dis-je.

J'aurais préféré qu'elle me frappe ou qu'elle me crie après. Je ne pouvais supporter de voir la mine qu'elle avait.

— Je pensais qu'il t'avait donné cinq dollars!

— Il m'a donné les deux, répondis-je en tressaillant, parce que j'avais complètement oublié l'argent.

Il y eut un silence. Même la chaudière s'était tue. Je pouvais entendre les murs qui craquaient et le robinet d'en haut qui faisait tip! tip! tip! Pourquoi n'était-il pas bien fermé? Sa voix me fit sursauter:

— Anne!

— Oui.

— Elle retourne là-bas. Elle retourne d'où elle vient, immédiatement. Je vais parler à M. Roy, dit-elle en tournant les talons.

— Non! C'est à moi! C'est à moi! criai-je. Elle n'est pas à toi. Tu ne peux pas la prendre. C'est du vol!

— Je ne vole rien, dit-elle, de cette même voix calme et glaciale. C'est toi qui vas la rendre.

— Oh! non, pas moi! dis-je. *Jamais!* Tu ne pourras pas m'y obliger. Tu m'interdis tout. Je ne peux rien faire. Pas de télé; pas de sport, pas d'amis non plus, parce que je dois garder Benjamin chaque jour pour que tu puisses étudier. Tu veux savoir pourquoi je me suis sauvée de l'école? Parce que tout le monde rit de moi. Mes dents avancent et je ressemble à Bugs Bunny, et toi, tu t'en balances. Comment aimerais-tu te faire appeler Bugs Bunny?

Elle hocha la tête doucement.

— Je ne pouvais pas... Je ne savais pas; on va parler de tout ça ce soir. Mais maintenant, jeune demoiselle, dit-elle en désignant la télé, tu dois rapporter cet appareil à M. Roy, immédiatement.

— Non, criai-je. *Jamais!* Tu ne m'y forceras pas. Tu peux me priver de nourriture ou me battre, mais je ne rendrai pas la télé!

Une demi-heure plus tard, je poussais la brouette de M. Roy de l'autre côté de la rue, avec le téléviseur dedans. Pourquoi avais-je cédé? Eh bien! quelle chance a une enfant de treize ans de gagner contre un parent? Personne n'oserait même tenter un pari là-dessus.

J'étais très mal à l'aise de rendre la télé à M. Roy. Lui semblait un peu confus. J'ai bredouillé quelques mots au sujet de ma mère qui n'aimait pas la télé, sans donner plus d'explications. Mais j'ai gardé le billet de cinq dollars. Après tout, c'était la récompense qu'il m'avait offerte en premier.

J'ai parfois ce fantasme dans lequel ma mère se fait tuer dans un accident d'auto et un couple très riche m'adopte et me donne tout ce que je veux. Je voyage à travers le monde, je mange les mets qui me plaisent, je me prélasse sur une plage hawaïenne, je me couche tard, je laisse à ma servante le soin de ramasser les choses que je jette sur le plancher, mon orthodontiste privé redresse mes dents et je possède un téléviseur à écran géant, qui me suit partout. C'est un beau rêve, mais je me sens toujours très coupable quand je le fais. Ça ne vaut pas la peine de rêver de choses qu'on désire si c'est pour se sentir coupable.

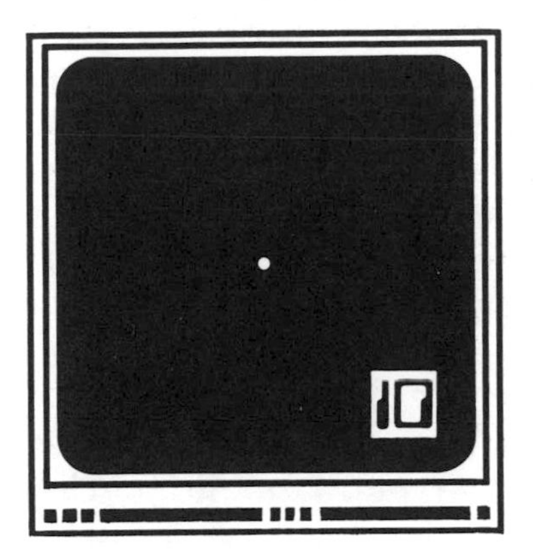

Le compromis

Pierre m'a étonnée: je croyais qu'il serait furieux contre moi, mais non. Après que je lui eus tout raconté, il m'a dit:

— Je savais bien que ça ne pouvait pas durer. Mais je pensais que Benjamin nous vendrait, plutôt que toi.

— Moi aussi, avouai-je.

Benjamin, lui, trouvait très drôle que je me sois fait attraper. Il répétait sans arrêt:

— Anne ne sait pas garder un secret! Anne ne sait pas garder un secret!

Je crois qu'il se sentait fier de n'avoir pas été celui qui avait révélé le pot aux roses. À 7 heures et demie, après un repas sinistre pendant lequel seul Benjamin avait parlé, maman nous a dit de nous asseoir dans le salon pendant qu'elle allait chercher quelque chose avec l'auto de V.C. Elle a précisé que nous allions régler le problème dès son retour.

— Qu'est-ce qu'elle a voulu dire? demanda Pierre en fixant au dehors les feux arrière rouges de la voiture qui disparaissait au coin de la rue.

— Où va maman? gémit Benjamin en suçant son pouce.

— Je ne sais pas, je ne sais pas, dis-je brusquement en tentant de répondre à leurs deux questions, tout en poussant fort sur mes dents. Elle ne m'a rien confié. Peut-être qu'elle nous abandonne, un peu comme dans *Hansel et Gretel,* mais en sens inverse.

— Anne! elle ferait ça, tu crois? lança Benjamin qui était devenu tout blême et me regardait avec des larmes dans les yeux. Est-ce qu'elle nous abandonnerait, hein! Anne?

— Non, je ne crois pas, lui dis-je, en me sentant misérable.

Comment pouvais-je oser me venger ainsi sur un petit enfant?

— Tu sais bien qu'elle ne partirait pas. Hé! viens ici. Grimpe sur mes genoux, je vais te raconter une histoire.

Il a grimpé sur moi, tout chaud et propre dans son pyjama de pirate. Il suggéra:

— Raconte-moi l'histoire d'un petit garçon qui s'appelle Benjamin et de sa grande sœur.

— D'accord, dis-je. Mais sa grande sœur était passablement méchante et un peu sorcière!

— Non, ce n'est pas vrai, dit-il en me serrant fort; sa grande sœur est la meilleure grande sœur de toute la terre.

J'ai reniflé. Parfois, les petits frères vous mettent une boule dans la gorge. Soudain, Pierre, qui regardait dehors, a lancé:

— Hé! regardez!

Il s'est mis à sauter comme un ressort.

— C'est maman! Elle est revenue!

Il s'est rué vers la porte, qu'il a ouverte avec fracas.

Et maman était là... avec la télé dans ses bras!

On est tous devenus fous. Pierre s'est mis à chanter en sautant autour de la pièce:

— On a gagné! On a gagné!

Benjamin sautait sur le canapé. Tandis que maman déposait l'appareil par terre, j'ai réussi à articuler:

— Branche-la! Branche-la!

— Non, a dit maman. On ne la branche pas.

Le silence soudain qui a suivi aurait pu se couper au couteau. J'aurais dû me douter qu'il y avait un hic.

— Je ne comprends pas, protestai-je. Pourquoi l'as-tu rapportée de chez Rachel, alors?

— Assoyez-vous, a-t-elle ordonné calmement, en retirant son manteau et en nous adressant un sourire. Il faut nous parler.

— Pourquoi? marmonnai-je.

— Si tu es impolie, Anne, la télé retournera là d'où elle vient.

Voilà une phrase qui m'a vite cloué le bec!

— Bon! a-t-elle poursuivi en retirant de sa poche un bout de papier et en l'agitant sous notre nez, nous devons parvenir à une entente. Il est clair que l'absence de télé vous a affectés plus que je ne l'aurais pensé.

Ça, c'était le moins qu'on puisse dire!

— Alors, enchaîna-t-elle, j'ai décidé de faire un compromis.

— C'est quoi, un compromis? demanda Benjamin.

— Ça veut dire qu'elle cède un petit peu et qu'on cède un petit peu, expliqua Pierre tristement. À la fin, personne n'est heureux.

— J'ai quelques suggestions à vous faire, continua-t-elle. Voulez-vous les entendre?

Tous les trois, nous avons vivement fait signe que oui.

— Les voici. Vous pouvez regarder la télé pendant une heure chaque jour, ainsi que quelques émissions spéciales. En échange, vous ne me suppliez pas de la regarder plus longtemps et vous ne trichez pas.

— Une heure pour chacun? demanda Pierre d'une voix pleine d'espoir.

— Une heure en tout et pour tout, précisa-t-elle d'un ton qui n'admettait pas de réplique.

Pierre et moi échangeâmes un regard. Je dis:

— Jamais nous n'arriverons à nous entendre sur l'émission à choisir. C'était déjà compliqué quand nous pouvions la regarder tout le temps. Mais pour une seule heure...

— On va toujours se disputer, renchérit Pierre.

— Je veux voir mes dessins animés et *On s'amuse*, décréta Benjamin en souriant à tout le monde.

— Voilà! dis-je en vitesse. Moi, je refuse de regarder *On s'amuse*. Il ne pourra pas le regarder quand je ne le voudrai pas et alors il va se fâcher.

— Je veux le regarder. Je veux le regarder. Anne n'est pas juste. Maman, dis à Anne de me laisser regarder *On s'amuse,* se lamenta Benjamin en attrapant maman par le bras.

Maman haussa les épaules et mit le papier sur la table.

— Ceci est un contrat que vous devez tous signer, en autant que vous acceptiez le plan, évidemment.

Je l'ai saisi en premier. Il n'était pas difficile à lire.

Nous acceptons de regarder une heure de télévision par jour, ainsi que quelques émissions spéciales. Le choix des émissions spéciales de la semaine sera débattu lors d'une réunion le dimanche soir, sinon aucune ne sera autorisée. Nous acceptons de ne pas allumer le téléviseur le reste du temps.

Signé:

Je l'ai donné à Pierre.

— Alors, Anne? demanda maman en souriant.

Je haussai les épaules. Est-ce que j'avais le choix? J'ai bougonné:

— C'est mieux que rien.

— Pierre? demanda-t-elle en se tournant vers lui.

— Qu'est-ce que tu entends par émissions spéciales?

C'était une excellente question. Elle sourit:

— Des reportages de *National Geographic*, des émissions scientifiques et des pièces de théâtre.

— Et les parties de hockey et ces choses-là?

— Mmm... Une ou deux, peut-être, dit-elle en tapant avec ses doigts sur la table basse.

— Je vais signer, dit Pierre.

— Benjamin?

— Je ne sais pas signer mon nom de famille! gémit-il, les lèvres tremblantes.

— Ce n'est pas grave, assura-t-elle en lui donnant un crayon. Ton prénom suffit.

Il se mit à sautiller sur le canapé. À la fin, nous avons tous signé. Personne n'a gagné et personne n'a perdu... et aucun d'entre nous n'était entièrement satisfait.

Mais à partir de ce jour, une foule de choses ont commencé à changer. Je pense que maman a fini par m'écouter. Deux fois par semaine, elle revient de l'université plus tôt pour me libérer de Benjamin. Je fais partie de l'équipe de volley-ball de l'école et je me suis fait quelques amis. La semaine prochaine, j'ai rendez-vous chez l'orthodontiste. Il se pourrait bien que Bugs Bunny disparaisse de la circulation!

Je suis toujours monitrice d'audiovisuel. Je continue de promener Bouffi chaque jour. Je suis toujours terriblement en manque d'argent de poche. Et je ne regarde la télé qu'une heure par jour! Mais comme me répète souvent grand-maman Brian, on ne peut pas remporter toutes les batailles. En fait, la vie a des bons côtés ces temps-ci, de très bons côtés, même!

Table des matières

Lithographié au Canada
sur les presses de
Metrolitho inc. - Sherbrooke